LA CUISINE
de Jamie Oliver

LA CUISINE
de Jamie Oliver

HACHETTE

Pour ma famille

Traduction : Stéphan Lagorce
Couverture : Philippe Latombe / Zaaping
Adaptation et réalisation : Marie Vendittelli / Looping

SOMMAIRE

Corporation of London
YOU ARE NOW
ENTERING A
FOOD AREA

INTRODUCTION

À propos de cet ouvrage

Quand je suis arrivé à Londres, je louais, à Hampstead, un petit studio équipé d'une cuisine de la taille d'un placard. Plus tard, j'ai emménagé à Hammersmith dans un minuscule appartement situé en sous-sol. C'est grâce à ces deux expériences que j'ai pris conscience des difficultés et des restrictions qu'impose une cuisine de petite taille équipée sommairement. En travaillant dans des restaurants de choix, j'ai réalisé combien il était difficile de préparer, à la maison, les recettes des grands chefs : soit par manque de temps, de place, de matériel, soit, parfois aussi, parce que les produits de bonne qualité et de prix acceptable ne sont pas toujours disponibles pour les non-professionnels. Ayant donc pour objectif de rendre accessible au profane de succulentes recettes préparées dans une cuisine aux moyens limités, j'ai repensé, adapté et rendu plus simples d'exécution de nombreux mets en me servant des ingrédients que je trouvais à ma disposition dans le placard, le réfrigérateur ou le jardin. En appliquant ce principe, j'ai bâti un répertoire de recettes à la fois simples, festives et délicieuses. Dans le même temps, j'ai essayé d'éliminer le jargon culinaire peu compréhensible ainsi que les méthodes compliquées et dévoreuses de temps qui n'apportent rien de plus au résultat final.

L'objectif de cet ouvrage est donc de vous inciter à cuisiner avec plaisir, enthousiasme et confiance.

Mon histoire

J'ai grandi dans un pub situé dans un charmant petit village nommé Clavering, près de Saffron Walden, dans le Nord Essex. Dans cet univers, la préparation des plats, l'ouverture des bouteilles de vin et le service de la bière faisaient partie de mon quotidien. Mon intérêt pour la cuisine proprement dite commença un jour après avoir dit à mon père : « Tous mes copains ont de l'argent de poche. Peux-tu m'en donner ? »

En souriant, il me répondit : « Non, mais tu pourras en gagner en te levant de bonne heure, si tu le souhaites ».

Le matin était le moment de prédilection de mon père. Je me souviens très clairement de ce qu'il arrivait si, pendant l'été, je tardais au lit le samedi : alors qu'il arrosait la jardinière, il passait le tuyau par la fenêtre de ma chambre et m'envoyait une bonne giclée d'eau en guise de sonnerie matinale. Réveil instantané garanti !

Papa prévoyait toujours une sélection de gentillesses à mon attention, des tâches peu amusantes où le balai et l'éponge étaient souvent incontournables (je ne sais pas qui ramonait la cheminée, mais, heureusement, ce n'était pas moi). Après cela, je fus « promu » pendant un moment à la laverie, chaude et humide à souhait. Sans doute parce que je ne considérais pas cela comme assez « viril » pour un garçon de huit ans, je décidais que le véritable travail était en cuisine avec de « vrais hommes », et c'est là que je voulais être. C'est ainsi que mon éducation commença – pas seulement au niveau culinaire, du reste, car j'y appris aussi un véritable langage de charretier ! Je fus sans doute un poids pour les cinq chefs de mon père, mais ils étaient très patients et m'encourageaient constamment. C'est à ce moment-là que j'ai commencé à apprendre les aspects pratiques et les techniques de la cuisine. Je travaillais au pub chaque samedi et dimanche jusqu'à ce que j'arrête mes études. À l'âge de 15 ans, je fis un stage de deux semaines au « Starr », à Great Dunmow. Brian Jones et son chef eurent suffisamment confiance en moi durant ma deuxième semaine de travail pour me confier la responsabilité d'une partie des préparations : j'étais dans mon élément, heureux, et je pris alors la décision de faire de la cuisine mon métier.

J'eus ensuite la chance d'obtenir une place au Westminster Catering College, à Vincent Square, où j'ai étudié pendant trois ans. J'étais très impressionné par la taille immense de ce lycée et par le mélange très cosmopolite des étudiants. J'ai adoré les différents cours que nous suivions – pas simplement le travail pratique, mais aussi le programme dans son intégralité. Mon désir de réaliser une cuisine élégante et moderne ne fut cependant pas totalement comblé au cours de cette période. Or, en tant que jeune chef, je pensais qu'un mets savamment élaboré était forcément bon... jusqu'à ce que j'aille travailler au Château Tilques, en France, où j'appris que qualité, réelle attention, générosité et instinct personnel devaient également intervenir à tous les stades de la préparation d'une recette.

C'est ainsi que ma passion pour la cuisine naquit; j'ai considérablement appris entouré de professionnels bien plus talentueux que je ne l'étais, et dont l'enthousiasme était très contagieux.

À ce moment, je pensais que le seul endroit où je devais absolument aller pour continuer à enrichir mes connaissances était Londres. En effet, tout le monde, dans le cercle des cuisiniers de talent, ne parlait que de cette ville : il fallait que m'y rende coûte que coûte !

Je tenais alors beaucoup à apprendre la cuisine italienne, et j'eus la chance d'avoir un poste à l'Antonio Carluccio's Neal Street Restaurant, où les pâtes et le pain sont, sans nul doute, parmi les meilleurs de Londres. Antonio Carluccio et son acolyte Gennaro sont reconnus pour leurs sublimes recettes de champignons sylvestres. En pleine saison des cèpes et des bolets en Angleterre, c'était très amusant de voir ces vieux Italiens venir vendre leurs champignons qu'ils avaient cueillis eux-mêmes. Ils connaissaient les coins « secrets » dans la campagne et revenaient chaque jour avec de pleins paniers de cèpes qu'ils cédaient contre de coquettes sommes d'argent !

Après un an au Neal Street Restaurant, et fort de mon amour pour la cuisine italienne, je souhaitais approfondir encore d'avantage mon savoir-faire. J'ai alors décidé d'aller travailler au River Café. Pour cela, j'ai appelé le restaurant au moins dix fois afin de pouvoir parler à Ruth Rogers ou à Rose Gray dans le but d'obtenir un rendez-vous. Je parvins enfin à voir Rose qui me parut assez froide au premier abord et, me terrifia littéralement. Mais je découvris vite que cela était simplement sa manière de s'exprimer au téléphone et, qu'en fait, elle était la plus sympathique, la plus chaleureuse des chefs que j'ai connus – et celle qui m'a le plus inspiré. Rien ne peut vous préparer à venir travailler au River Café. Peu importe ce que vous avez appris avant car le style culinaire de Rose Gray et Ruth Rogers est original et libre de toute convention académique. Pour un cuisinier, n'employer que les ingrédients les plus frais et être associé à l'élaboration de chaque nouveau menu est une expérience des plus enrichissantes. Certaines de mes recettes s'inspirent inévitablement de ce que j'ai appris au River Café, sans doute est-ce parce que mon imagination y fut constamment sollicitée.

C'est pourquoi je souhaite vous encourager à mon tour...

Et maintenant, retroussons nos manches !

LES PREMIERS PAS

Que vous soyez un cuisinier débutant ou un chef expérimenté débordant d'enthousiasme, la première des choses à prendre en considération est la qualité des produits. Lorsque j'étais au collège, un de nos enseignants nous répétait presque chaque jour « Tout tient à la connaissance des ingrédients et des matières premières ! » Je m'amusais parfois à le singer, mais il avait parfaitement raison. Lorsque vous allez faire vos courses, jetez un œil dans les épiceries, les boutiques et les marchés pour voir les produits proposés.

Les matières premières sont nombreuses – le sucre, les farines, les huiles, les herbes, la moutarde, les vinaigres… La liste peut s'allonger à l'infini. Un seul ingrédient ou l'association de plusieurs peut changer complètement l'esprit et le caractère d'un plat. Choisissez donc d'excellents produits de base, comme une huile d'olive de qualité, et vos recettes seront toujours réussies.

La liste que je vous propose ci-après peut être la base de préparations vraiment délicieuses ; et lorsque vous rentrerez chez vous avec un morceau de viande, du poisson, des légumes ou de la salade, vous aurez toujours sous la main les ingrédients nécessaires pour donner à votre cuisine cette touche d'originalité qui fait la différence.

DUFFER
BUILDE
315 WEST

La base de votre placard de cuisine

- Les moutardes : de Dijon, à l'ancienne et anglaise.
- Les huiles : huile d'olive extra-vierge.
- Les vinaigres : de vin rouge, de vin blanc, balsamique, de riz.
- Les farines : nature, avec levure, farine de force (type 55), de maïs, semoule, couscous.
- Poudre levante, bicarbonate de soude.
- Les sucres : brun, sucre glace et en poudre.
- Les sels : sel de mer, sel fin, gros sel, fleur de sel.
- Les pâtes sèches : spaghetti, linguine, tagliatelle, penne, farfale.
- Les légumineuses : haricots, flageolets, pois cassés, lentilles, pois chiches.
- Tomates en boîte.
- Les riz : basmati, riz long et riz rond pour risotto.
- Les olives : noires et vertes.
- Les fruits secs : pignons de pin, amandes entières, noisettes.
- Les champignons séchés : bolets et cèpes.
- Tomates séchées.
- Le chocolat : chocolat à cuire (avec un fort pourcentage de cacao).
- Chocolat en poudre (70 % de cacao).
- Sauce soja, Nuoc-mâm, sauce aux huîtres.
- Anchois salés ou à l'huile d'olive.
- Les câpres : les petites sont les meilleures.
- Herbes et épices (voir page 11).

HERBS

LES HERBES ET LES ÉPICES

Les herbes fraîches

Les herbes fraîches sont incontournables. Elles sont très faciles à faire pousser, que vous habitiez en ville ou à la campagne, que vous viviez au seizième étage ou dans un studio au rez-de-chaussée, peu importe ! Plantez-les dans votre jardin, votre jardinière, dans un seau, dans des pots ou n'importe quel récipient suffisamment stable. Faites pousser du romarin, du thym, de la sauge et du laurier : ces plantes tiennent toute l'année à l'extérieur, et produisent leurs feuilles parfumées sous la pluie, le vent ou la neige. Vous n'avez pratiquement rien à faire pour les entretenir, sinon les arroser de temps en temps et mettre un peu d'engrais si elles sont en pots. Elles s'épanouiront sans problème. C'est un plaisir de pouvoir cueillir sa sauge pour préparer les farces du repas de Noël. La menthe, l'origan et la marjolaine peuvent aussi être laissés en plein air toute l'année, mais ils disparaissent pendant l'hiver (s'ils ne sont pas protégés) pour revenir avec force dès le printemps.

Certaines plantes aromatiques, moins robustes, comme la coriandre et le basilic peuvent pousser en intérieur sur un rebord de fenêtre. Les petits sachets d'herbes fraîches des supermarchés sont parfois décevants. Ils sont assez chers pour une qualité tout juste acceptable et une quantité vraiment limitée. Sans appliquer ce principe à tous les produits, l'idée est de cueillir ses herbes au dernier moment pour les utiliser aussi fraîches et parfumées que possible dans les recettes.

Les herbes sèches

Il ne faut pas les négliger, même si elles sont très différentes des herbes fraîches. Souvenez-vous que la déshydratation concentre les arômes et qu'il est souvent nécessaire de réduire légèrement les quantités à utiliser.

Certaines plantes, comme la marjolaine ou l'origan, ont même des saveurs plus prononcées lorsqu'elles sont déshydratées plutôt que fraîches.

Les épices

Les épices sont extraordinaires ! On peut les conserver longtemps et les garder, sans précaution particulière, en attendant le moment de les employer. Il est bien plus intéressant d'acheter les épices en sachets qu'en petits flacons de verre, mais il faut les conserver dans des récipients hermétiques.

Les épices que j'ai toujours à disposition dans ma cuisine sont :

- Le poivre noir en grains.
- Les piments secs.
- La noix de muscade.
- Les graines de coriandre.
- Les graines de fenouil.
- Les grains de cumin.
- Les graines de carvi.

Le mortier et le pilon

Voilà sans doute l'achat le plus utile que vous devez faire pour équiper votre cuisine : une fois que vous avez vos épices et vos herbes les seules choses qui vous soient vraiment nécessaires sont un mortier et un pilon. Je serais incapable de travailler sans ces ustensiles. Mais n'allez pas acheter un de ces petits modèles en porcelaine ; ils ne sont pas assez robustes pour la tâche qui leur est destinée. Trouvez-en un en pierre. S'il ne se casse pas en tombant, il durera toute la vie. (Une astuce : vous pouvez en trouver dans les épiceries asiatiques pour 30 € environ.)

LES SOUPES

Il n'y a pas de secret : il est impossible de faire de bonnes soupes sans des produits de qualité. Elles peuvent ne nécessiter que quelques minutes de préparation et être, malgré tout, succulentes. Elles font aussi partie de ces recettes que chacun peut réussir facilement. Leur préparation se réduit souvent à étuver quelques légumes, ajouter des ingrédients parfumés, du bouillon, et voilà ! Ensuite il ne reste qu'à choisir leur aspect final : clair avec des morceaux de légumes ou, au contraire, finement mouliné (après tout, les purées pour bébé ne sont-elles pas délicieuses ?). Pour apporter une touche d'originalité, vous pouvez également ajouter de la crème et des croûtons. Ce qui est formidable c'est que l'on peut faire des soupes à partir de presque tout et, avec un peu d'imagination, elles seront aussi originales que délicieuses.

Lorsque je prépare une recette de soupe, je prévois toujours les quantités pour quatre ou six personnes, même si je suis seul à la déguster : je congèle le reste dans des petits bacs en plastique. (La congélation ne dénature pas le goût de la recette qui sera, de toute façon, bien meilleure que tout ce que vous pourriez acheter dans le commerce.)

Voilà les cinq recettes de soupes que je préfère.

Mon Minestrone

Si vous avez déjà dégusté un vrai minestrone, vous comprendrez facilement de quoi nous allons parler maintenant. On trouve de très nombreuses recettes de minestrone en Italie et, selon les régions, elles ne sont jamais semblables. Il n'existe pas une recette de référence qui puisse représenter le minestrone à elle seule. Les ingrédients changent selon les saisons. Pendant l'hiver, lorsqu'il fait froid, on l'apprécie riche et nourrissant, avec des pâtes et des légumes en quantité. En été, lorsque le temps est très chaud, il sera meilleur plus léger, avec des produits comme les têtes d'asperge, les petits pois, les haricots, les artichauts. Par exemple, au River Café, en été, on prépare un étonnant minestrone à la menthe et au basilic.

Petites astuces avant de commencer

- Je pense qu'il est intéressant d'utiliser différentes espèces de choux, tels que le chou frisé, le chou vert, et également le chou rouge.
- Vous pouvez rendre votre minestrone vraiment différent en préparant vous-même les pâtes (voir page 44). Étalez finement la pâte et découpez-la grossièrement avec un couteau pour obtenir des pâtes de la dimension souhaitée. Elles auront, de cette manière, un bel aspect irrégulier et rustique ! Blanchissez-les rapidement (30 secondes) pour éliminer le surplus de farine, et ajoutez-les à la soupe au dernier moment.
- Si vous employez des spaghetti secs, enveloppez-les dans un torchon propre, et brisez le tout contre un coin de table (ce qui les cassera en petits tronçons).
- Cette soupe sera bien meilleure si vous la préparez avec du bouillon de cuisson de jambon, ou le bouillon restant après la cuisson d'un morceau de bacon (voir page 131). Le fond de volaille ou de légumes convient également, mais pensez à ajouter un peu de pancetta ou de bacon fumé lorsque vous faites revenir les légumes et le romarin. Souvenez-vous que les fonds de cuisson de jambon sont souvent assez salés, soyez donc prudent lors de l'assaisonnement.
- Des tomates mûres à point sont idéales, mais de bonnes tomates italiennes en boîte peuvent donner un aussi bon résultat final.

Pour 6 personnes
10 belles tomates bien mûres (ou 400 g de tomates en boîte égouttées)
3 carottes
2 poireaux
5 morceaux de céleri branche
2 oignons rouges
1 chou (ou le volume équivalent composé de 2 espèces différentes)
2 gousses d'ail, finement émincées
1 cuillerée à soupe bien pleine de romarin
850 ml de bouillon (de jambon, de poulet ou de légumes)
120 g de feuilles de basilic frais
170 g de spaghetti (ou 1/2 recette de pâte, voir page 44)
Sel, poivre noir fraîchement moulu
Huile d'olive extra-vierge
Parmesan râpé

Enlevez le pédoncule des tomates, plongez-les dans l'eau bouillante quelques instants et pelez-les. Éliminez les pépins et coupez-les grossièrement en dés. Pelez les carottes, coupez-les en quatre dans la longueur et émincez-les. Éliminez la peau extérieure des poireaux, coupez-les dans la longueur, lavez et émincez-les. Pelez les branches de céleri, enlevez les fils, séparez en deux dans la longueur et émincez-les. Vous pouvez utiliser du céleri boule, que j'adore en salade, mais dans une soupe comme le minestrone, il est préférable d'employer les branches car il n'est pas toujours aisé de les cuisiner autrement. Pelez et hachez les oignons. Pendant que vous taillez tous ces légumes, essayez d'obtenir des morceaux de taille identique (environ 1 cm de côté), mais ne soyez pas trop exigeant tout de même ; vous ne trouverez pas de chef italien coupant des mini-cubes de manière parfaitement régulière. Lavez et coupez grossièrement le chou.

Placez l'huile d'olive dans une marmite à fond épais, chauffez et faites suer les carottes, les poireaux, le céleri, l'oignon, l'ail et le romarin à feu moyen 15 minutes environ. Ajoutez les tomates coupées et laissez cuire pendant 2 minutes. Ajoutez le fond, amenez à ébullition, puis faites cuire lentement 15 minutes en écumant de temps à autre. Ajoutez ensuite le chou, couvrez et poursuivez la cuisson pendant 10 autres minutes. Incorporez enfin les pâtes, le basilic haché et laissez frémir 5 minutes. Rectifiez l'assaisonnement. La soupe doit être assez épaisse, très savoureuse et le chou rester légèrement ferme et vert. Servez avec une huile d'olive extra-vierge bien corsée et le parmesan râpé.

Soupe crémeuse à l'aubergine, aux haricots et à la ricotta

Pour 6 personnes
285 g de haricots secs, trempés une nuit
4 belles aubergines
1 cuillerée à soupe d'huile d'olive
2 gousses d'ail finement émincées
1 petit piment rouge sec concassé
1 cuillerée à soupe de basilic frais, haché
1 cuillerée à soupe de persil frais, haché
565 ml de bouillon de légumes ou de volaille
255 g de ricotta fraîche
Sel et poivre noir fraîchement moulu
Huile d'olive extra-vierge, assez corsée

Rincez les haricots trempés. Placez-les dans une marmite, couvrez d'eau froide, portez à ébullition et faites-les cuire lentement 1 heure pour les attendrir. Piquez les aubergines avec la pointe d'un couteau, placez-les sur une plaque à rôtir et faites-les cuire entières au four (thermostat 8) pendant 50 minutes.

Chauffez l'huile d'olive dans une casserole profonde, et faites frire l'ail, le piment, le basilic et le persil pendant 1 minute environ. L'ail doit ramollir mais ne pas colorer. Coupez les aubergines en deux, récupérez la pulpe cuite avec une cuillère et placez-la dans la casserole. Incorporez les haricots précuits et le bouillon. Portez le tout à ébullition, et faites cuire lentement pendant 20 minutes. Prélevez la moitié de la soupe, réduisez-la en une fine purée et replacez-la dans la marmite de cuisson. Mélangez bien et assaisonnez. L'aspect doit être crémeux, dense et relativement épais. Finissez en mélangeant dans la soupe la ricotta préalablement brisée en morceaux.

Versez dans les bols de service quelques gouttes d'huile d'olive, puis servez la soupe bien chaude. Accompagnez avec des tranches de pain croustillantes.

Soupe aux poireaux et aux pois chiches

C'est une recette facile et rapide à faire, et son goût est vraiment délicieux. Les pois chiches deviennent crémeux, et les poireaux sucrés et soyeux. Ces deux légumes ont des saveurs assez simples, même si mon habitude d'ajouter des herbes fraîches relève le tout de manière originale. Cette petite soupe sympathique, très goûteuse, plaira à tous les convives.

Pour 6 personnes
340 g de pois chiches trempés une nuit
1 pomme de terre moyenne pelée
5 poireaux moyens
1 cuillerée à soupe d'huile d'olive
1 noix de beurre
2 gousses d'ail, finement émincées
Sel et poivre noir fraîchement moulu
850 ml de bouillon de poulet ou de légumes
2 cuillerées à soupe de parmesan moulu
Huile d'olive extra-vierge

Rincez les pois chiches trempés. Couvrez avec de l'eau, et faites cuire lentement avec la pomme de terre (voir p. 157) jusqu'à ce que les légumes soient tendres. Éliminez la membrane extérieure des poireaux, coupez-les en long depuis la racine, lavez-les soigneusement et émincez-les finement.

Faites chauffer une casserole à fond épais, versez l'huile d'olive et la noix de beurre. Ajoutez les poireaux et l'ail, et faites suer lentement avec une bonne pincée de sel pour rendre les légumes tendres et sucrés. Incorporez les pois chiches et la pomme de terre puis laissez cuire 1 minute. Versez les 2/3 du bouillon et laissez frémir 15 minutes.

À ce stade de la préparation, il faut décider si vous souhaitez réduire les légumes en une fine purée dans un mixer ou si, au contraire, vous voulez obtenir une soupe claire avec des morceaux de légumes. Vous pouvez aussi faire comme moi : broyez la moitié de la soupe et laissez le reste tel quel ; de cette manière on obtient un potage agréable et moelleux tout en gardant une certaine texture. Ajoutez ensuite le reste du bouillon pour obtenir la consistance désirée. Vérifiez l'assaisonnement, ajoutez 1 cuillerée à soupe de parmesan pour arrondir l'ensemble des saveurs.

Cette recette peut faire une délicieuse entrée, mais je la préfère au déjeuner dans un grand bol avec quelques gouttes d'huile d'olive extra-vierge, 1 pincée de poivre noir fraîchement moulu et 1 petite touche supplémentaire de parmesan.

Soupe de tomates fraîches aux poivrons doux, purée de basilic et huile d'olive

J'apprécie cette soupe servie chaude, mais elle peut aussi se consommer froide, en été. Les arômes qui la composent se marient bien ensemble mais on sent également leur saveur individuelle lors de la dégustation. Cette soupe est parfaite pour le déjeuner avec un sandwich au pain toasté à la mozzarella, ou un fromage bien crémeux.

Pour 6 personnes
15 tomates bien mûres
3 poivrons rouges
1 gousse d'ail finement hachée
7 cuillerées à soupe d'huile d'olive
1 cuillerée à soupe de piment haché sans pépins
Sel et poivre noir fraîchement moulu
2 cuillerées à soupe de vinaigre de vin
565 ml de bouillon de volaille ou de légumes
80 g de feuilles de basilic frais

Enlevez le pédoncule des tomates, plongez-les dans l'eau bouillante quelques instants et pelez-les. Éliminez les pépins.

Faites griller les poivrons rouges entiers, laissez-les refroidir lentement dans un bol fermé puis pelez-les complètement. Émincez finement la chair obtenue (pour dégager une saveur vraiment sucrée et agréable, les poivrons doivent être entièrement grillés et sortir du four bien noirs).

Placez la chair de poivron ainsi obtenue et le piment dans une marmite à fond épais avec 2 cuillerées à soupe d'huile d'olive. Salez et faites cuire à feu doux pendant 5 minutes. Ajoutez l'ail et poursuivez la cuisson 2 autres minutes. Incorporez ensuite les tomates et faites cuire 10 minutes après avoir ajouté une pincée de sel et 1 cuillerée à soupe de vinaigre, de sorte que l'ensemble se mélange bien.

Versez le bouillon et finissez la cuisson, très lentement pendant 15 minutes.

Faites réduire les feuilles de basilic en pulpe dans un mixer ou un mortier avec une pincée de sel. Faites couler progressivement l'huile d'olive et 1 cuillerée à soupe de vinaigre. Versez ensuite cette préparation sur la soupe et servez sans mélanger.

LES BOUILLONS GARNIS ET LES SOUPES CLAIRES

Très franchement, les bouillons sont pour moi une vraie source d'inspiration culinaire. Quand j'ai commencé à en préparer, je n'y connaissais absolument rien, et je dois admettre que je ne suis pas encore ce que l'on pourrait appeler un expert. Mais cela n'est pas le plus important ; ressentir les choses par soi-même, trouver ses propres repères, voilà ce qui compte. Un bon bouillon n'est pas nécessairement prévu pour vous rassasier par un jour d'hiver bien froid, comme la plupart de nos soupes européennes ; un bon bouillon devrait être léger, rafraîchissant, sain et presque thérapeutique. Tout est affaire de simplicité. Pour trouver l'inspiration, je me promène en ville et je repère les magasins orientaux. Ils sont nombreux et toujours pleins de produits surprenants. Mes bouillons s'inspirent de ce que je trouve dans ces endroits, et je me laisse guider par mon instinct.

Ce qui est agréable avec les bouillons, c'est que l'on peut vraiment exagérer les quantités et tout manger avec plaisir. Faites-vous un grand bol de bouillon pour le déjeuner, garnissez-le de nouilles, de légumes, ou de ce qui vous passe par la tête : ce sera toujours une nourriture saine et bonne pour votre santé. (Je ne recommanderai cependant jamais ce type de repas quand vous avez un rendez-vous, surtout s'il est galant, car si vous mangez ce type de soupe comme il convient de le faire, vous devrez peut-être aspirer le liquide – plus ou moins fort – avec toutes sortes de bruits étranges, sans compter les projections faites par des pâtes indélicates... Autant bien connaître la personne avec qui vous partagerez de tels mets !)

Je vais vous donner deux de mes compositions favorites, mais l'idée est que vous prépariez votre propre recette en utilisant trois ou quatre composants de base comme les nouilles, les herbes, la viande, le poisson ou les légumes. Rappelez-vous toujours que l'ingrédient principal est le bouillon lui-même. Je le préfère limpide et bien parfumé (pour clarifier un fond, voir page 226).

Quand vous servez des bouillons garnis, essayez de proposer la garniture à part : cela sera plus agréable et original. Répartissez tous les ingrédients solides dans les bols de service, puis amenez le bouillon brûlant à table dans une théière transparente (ou dans tout autre récipient ou pichet). Ajoutez cinq ou six belles pincées d'herbes fraîches hachées – les herbes infuseront comme des sachets de thé. Versez ensuite le bouillon très chaud sur les légumes et/ou la viande préalablement placés dans les bols de service. Finissez la recette en pressant quelques gouttes de jus de citron frais sur le tout.

Bouillon d'herbes aux nouilles, poulet grillé et légumes chinois

Pour 4 personnes
450 g de nouilles chinoises
4 filets de poulet
Sel et poivre noir fraîchement moulu
1 litre de bouillon de volaille
1 cuillerée à soupe pleine de gingembre frais haché
1 gousse d'ail émincée
300 à 400 g de légumes chinois (chou, pak choy)
1 piment rouge finement émincé, sans pépin
1 botte de coriandre fraîche
4 cuillerées à soupe de sauce soja
1 citron

Désossez, dégraissez et pelez les filets de poulet. Salez-les. Placez les filets sous le gril du four et faites-les cuire sur chaque face 10 minutes environ. Laissez-les ensuite refroidir 3 minutes puis coupez-les en tranches d'une épaisseur de 1 cm environ. Dans le même temps, assemblez le fond de volaille, l'ail et le gingembre et portez à ébullition, passez ensuite à feu doux et laissez frémir. J'aime faire étuver les légumes au-dessus du fond, mais vous pouvez aussi les faire blanchir dedans ; procédez selon votre préférence.

Pendant que le bouillon frémit, faites cuire les nouilles dans une eau bouillante salée. Égouttez-les et répartissez-les dans quatre bols de service assez profonds. Déposez les légumes précuits sur les pâtes. Placez ensuite les tranches de poulet au-dessus, puis ajoutez le piment, la coriandre et la sauce soja. Vérifiez l'assaisonnement du bouillon, puis versez-le très chaud dans les bols sur les légumes et la viande (vous pouvez procéder à cette opération directement à table, pour chaque convive). Terminez la recette en pressant quelques gouttes de jus de citron au-dessus de chaque bol.

Bouillon de coquille Saint-Jacques, crevettes, clams aux nouilles, haricots noirs, coriandre et citron vert

Pour 4 personnes
170 g de haricots noirs trempés une nuit
1 litre de bouillon de poisson (voir page 224)
2 cuillerées à soupe pleines de gingembre frais, finement haché
8 noix de coquilles Saint-Jacques avec ou sans corail
12 belles queues de crevettes crues et décortiquées
455 g de clams bien vivants
455 g de nouilles
1 botte de persil frais ou de basilic, finement haché
1 botte de coriandre fraîche
2 poivrons rouges sans pépin et finement émincés
Sel et poivre noir fraîchement moulu
2 citrons verts
4 cuillerées à soupe de vin blanc sec (facultatif)

Rincez les haricots trempés. Placez-les dans une marmite, couvrez d'eau froide, portez à ébullition et faites cuire lentement pendant 1 heure pour les attendrir. Faites frémir le bouillon de poisson avec le gingembre frais. Faites cuire à la vapeur les fruits de mer au-dessus du bouillon (si vous n'avez pas de panier pour la cuisson à la vapeur, placez les fruits de mer dans une feuille de papier d'aluminium, ajoutez un peu d'eau ou de vin blanc sec, fermez hermétiquement et faites cuire à four très chaud pendant 10 minutes environ ; les clams doivent être ouverts).

Pendant la cuisson des fruits de mer, versez les nouilles dans une grande casserole d'eau bouillante salée. Une fois les nouilles cuites, égouttez-les, puis répartissez-les dans quatre bols de service, ajoutez-y les coquillages, les crevettes, les coquilles Saint-Jacques, les haricots noirs, et les poivrons. Vérifiez l'assaisonnement du bouillon et servez-le dans un beau pichet. Finissez la préparation en versant le bouillon dans les bols, et en ajoutant le jus des citrons verts et les herbes au dernier moment.

LES SALADES ET LEURS SAUCES

Pendant des années, les salades ont été un des parents pauvres de la cuisine, ce qui est vraiment dommage car, pour moi, elles y occupent une place très importante ! Alors, amusons-nous en essayant des recettes inédites. A priori, les salades n'ont rien de vraiment extraordinaire et, en général, ne déclenchent pas d'enthousiasme particulier. Aussi, rappelez-vous que les salades vertes sont bonnes pour la santé ; mangez-en donc régulièrement. Voici un assortiment de salades et de sauces si faciles à réaliser que vous les réussirez du premier coup.

Par principe, ne préparez vos vinaigrettes qu'avec la meilleure huile d'olive possible : pour cet ingrédient, ne regardez pas le prix mais cherchez uniquement la qualité ! Vos salades doivent être assemblées et assaisonnées au dernier moment, sinon, elles seront fanées et d'un goût décevant. Souvenez-vous aussi que les vinaigrettes sont toujours meilleures si vous les utilisez juste après les avoir préparées, cependant, s'il en reste, vous pouvez très bien les conserver au réfrigérateur.

La salade de racines

Voici l'une des recettes les plus savoureuses que vous pourrez faire. Elle est croquante, goûteuse, et vraiment agréable servie avec un fromage (de la mozzarella ou de la ricotta, en particulier). Il vous faut répartir les quantités entre les carottes (plutôt de petite taille), le fenouil et le céleri. Commencez par laver les carottes, puis coupez-les en bâtonnets. L'idée est ensuite de les émincer aussi finement que possible. Éliminez le trognon et les peaux extérieures du fenouil, coupez-le en deux, puis émincez-le finement de la base vers le sommet. Répétez cette opération pour le céleri (personnellement, je pèle aussi ce légume pour éliminer les fils que je conserve d'ailleurs pour donner du goût aux ragoûts). Pour cette recette, j'ajoute aussi du céleri boule qui possède un aspect et une saveur très différents des branches ; sa couleur est blanche, son parfum assez soutenu, et sa chair ne contient aucun fil. Coupez la boule en deux, comme le fenouil, et émincez le tout assez finement.

Assemblez tous les légumes avec des herbes de votre choix, la vinaigrette au vinaigre de vin (voir recette page 42), puis mélangez bien. Cette salade est probablement la seule que j'assaisonne quelques minutes avant le service : ce laps de temps permet aux parfums de mieux se répartir et rend le tout bien plus savoureux.

Salade de betterave à la marjolaine et au vinaigre balsamique

Choisissez quelques betteraves bien fraîches, de préférence de petite taille. Faites-les cuire dans une eau salée jusqu'à ce qu'elles soient bien tendres (on reconnaît la bonne cuisson lorsque la peau de la betterave se décolle facilement si on la presse avec le pouce). Égouttez et laissez refroidir un moment. Éliminez éventuellement les tiges et pelez toute la betterave avec les doigts. (Si vous n'en trouvez pas de crues, les betteraves cuites conviennent aussi). Si elles sont petites, coupez-les en deux ou laissez-les entières ; si elles sont plus grosses, taillez-les en quartiers.

Disposez les betteraves encore chaudes dans un saladier avec la marjolaine et la vinaigrette au vinaigre balsamique (voir page 42). Cette recette est succulente et peut être servie à température ambiante, soit en salade soit en accompagnement de poissons rôtis ou grillés.

La salade de pommes de terre

Prenez environ 500 g de pommes de terre nouvelles (il est important de choisir des pommes de terre de taille à peu près identique ; grattez-les ou pelez-les selon l'épaisseur de leur peau). Faites cuire les pommes de terre dans de l'eau salée. Essayez de les faire cuire parfaitement : en les piquant avec la lame d'un petit couteau, vous devez ressentir une très légère résistance (il ne faut pas, certes, garder les pommes de terre crues, mais une surcuisson n'est pas souhaitable non plus). Lorsqu'elles sont cuites, égouttez-les et placez-les dans un bol. Il est capital d'ajouter la vinaigrette à ce moment, c'est-à-dire quand les pommes de terre sont encore fumantes et chaudes (en les laissant refroidir dans l'assaisonnement, elles en prennent plus facilement le goût). Voilà trois assaisonnements qui leur conviennent parfaitement :

Salade de pommes de terre à la sauce verte

Vous n'avez qu'à servir les pommes de terre avec 2 cuillerées à soupe de sauce verte (voir page 233).

Salade de pommes de terre à l'huile d'olive, au citron et à l'aneth

Préparez la vinaigrette à l'huile d'olive et au jus de citron (voir page 42) et ajoutez de l'aneth haché grossièrement, un peu de sel et du poivre noir fraîchement moulu. (À la place de l'aneth, vous pouvez aussi employer de la menthe, du persil frais, ou des tiges vertes de fenouil, ce sera délicieux).

Salade de pommes de terre au pissenlit et à l'échalote

À nouveau, utilisez la vinaigrette à l'huile d'olive et au citron (voir page 42), ajoutez quelques feuilles de pissenlit bien propres et concassées ainsi qu'un peu d'échalote finement hachée, puis assaisonnez avec du sel et du poivre noir fraîchement moulu.

Salade de pommes de terre à la sauce verte

Salade mélangée aux tomates rôties

Lavez et émincez les légumes que vous aimez; par exemple des radis, du raifort, du fenouil, de la romaine et du céleri. Ajoutez des herbes fraîches hachées comme de la marjolaine, du persil ou du basilic. Lorsque vous avez réuni ces légumes, donnez du relief à cette recette avec des tomates rôties. Pour ces dernières, choisissez des tomates parfaitement mûres (laissez-les entières si elles sont petites, sinon coupez-les en deux) et placez-les dans un bol. Ajoutez 1 pincée de thym frais, 1 pointe d'ail haché, du basilic, de l'origan séché – qui est si parfumé –, un filet d'huile d'olive, du sel, du poivre noir fraîchement moulu et un soupçon de piment chili sec.

Placez ces tomates assaisonnées sur la plaque du four en les étalant du mieux possible. Faites-les rôtir dans le four (thermostat 9) afin de les colorer en surface et de les déshydrater légèrement. Cela prend environ 15 minutes à très forte température. Laissez refroidir. Lorsque vous devez servir la salade, assaisonnez de vinaigrette à l'huile d'olive et au jus de citron (page 42) le mélange de légumes précédemment préparé. Servez dans un plat et parsemez le dessus des légumes des tomates rôties.

La vraie salade de tomates

Lorsque vous achetez des tomates, ne choisissez pas simplement celles qui sont bien présentées dans de petites barquettes; prenez-les en main, sentez-les. La tomate parfaite est d'une couleur rouge profond, souple mais pas molle. On trouve maintenant des tomates cerises, et parfois aussi des tomates jaunes dans le commerce, vous pouvez également les utiliser pour préparer ma recette.

Coupez les tomates à l'épaisseur que vous préférez et étalez ces tranches dans un grand plat. Hachez finement un tout petit peu d'ail (il faut suggérer le goût, plutôt que de le mettre en avant), puis hachez aussi fin un soupçon d'échalote ou d'oignon rouge. Répartissez les légumes hachés sur les tranches de tomates. Assaisonnez avec le sel, le poivre noir fraîchement moulu et l'origan sec. Éparpillez quelques feuilles de basilic coupées en gros morceaux, puis finissez la préparation avec quelques gouttes de vinaigre balsamique et de l'huile d'olive vierge.

Salade aux radis et au fenouil

Salade aux radis et au fenouil

Les quantités pour cette recette peuvent varier mais, en général, je mets 2 parts de fenouil pour 1 part de radis. Choisissez les radis qui vous paraissent les plus fermes. Les plus longs, avec une forme légèrement ovale, sont les meilleurs. Lavez-les et émincez-les finement. Il y a deux espèces de fenouil : une assez fine et une autre plus grosse et ventrue. Choisissez cette dernière variété car les bulbes sont plus denses, moins filandreux et possèdent, en général, beaucoup de tiges vertes qui sont nécessaires à notre recette. Coupez les tiges des bulbes et réservez-les. Éliminez le trognon ainsi que la première feuille extérieure si elle vous semble coriace. Coupez le fenouil en deux et émincez le fenouil aussi finement que possible de la base vers le sommet. Assemblez les radis et le fenouil dans un grand saladier, recouvrez-les d'eau froide puis ajoutez des glaçons. Laissez les légumes tremper ainsi 15 minutes : ils vont devenir fermes et croquants. Égouttez et essorez-les, placez-les dans un saladier et assaisonnez avec la vinaigrette à l'huile d'olive et au jus de citron (voir page 42). Émincez les tiges vertes du fenouil et saupoudrez-en la salade. Cette recette est succulente avec un poisson grillé.

Salade d'endives aux anchois et aux câpres

Lorsque je travaillais en France, je mangeais des endives à chaque repas : servies sous toutes les formes, il n'y avait aucun moyen d'y échapper. La plupart du temps, elles étaient servies crues, sans vinaigrette et étaient amères et franchement mauvaises ! Après cela, je ne pouvais plus les supporter. J'ai appris, depuis, que l'amertume de l'endive est, en fait, délicieuse si le légume est cuit ou associé à d'autres saveurs très marquées, comme les anchois ou le jus de citron. Cette recette, très chic, fera une entrée parfaite.
Il faut 4 endives moyennes bien fraîches (surtout pas noircies). Coupez-les en deux dans la longueur, puis en quatre et, à nouveau, en moitiés égales. Lavez les endives dans de l'eau froide puis égouttez-les. Pilez 6 filets d'anchois dans un mortier en ajoutant 1 cuillerée à soupe de câpres (vous pouvez aussi les hacher très finement). Placez cette préparation dans un saladier et ajoutez, en mélangeant, de l'huile d'olive et du jus de citron (voir page 42), mais ne salez pas en raison du sel contenu dans les anchois et les câpres). Travaillez la sauce jusqu'à ce qu'elle soit homogène, puis ajoutez les endives. Vous pouvez arroser le tout de quelques gouttes de citron avant de servir.

Salade de cœur de céleri et d'artichaut au parmesan, citron et huile d'olive

J'ai découvert cette salade en Italie, dans un café. Sa présentation n'a rien d'exceptionnel, mais son goût est succulent ! Le croquant de l'artichaut et du céleri crus se marie à merveille avec l'huile d'olive et le jus de citron. L'association des deux saveurs donne un résultat très rafraîchissant et la richesse du parmesan souligne agréablement l'ensemble.

Préparez deux artichauts (voir page 137) puis émincez-les de la base au sommet aussi finement que possible. Épluchez 1 boule de céleri, lavez-la puis coupez-la en deux. Émincez-la très finement. Sur les tiges, prélevez quelques feuilles ; choisissez celles qui sont jaunes (les vertes sont trop fortes).

Assemblez les deux légumes émincés dans un saladier et assaisonnez avec du sel et la vinaigrette à l'huile d'olive et au jus de citron (voir page 42). Puis, à l'aide d'un économe, faites de longs copeaux de parmesan et disposez-les sur la salade avec quelques feuilles de céleri sommairement hachées.

Goûtez la salade et n'hésitez pas à rajouter un peu de jus de citron selon votre goût (c'est l'acidité qui donne à cette recette tout son bouquet).

Salade tiède de chicorée, de laitue et de pancetta

Préparez la recette avec une quantité identique de laitue et de chicorée. Éliminez le trognon des deux salades ainsi que les feuilles et tiges extérieures qui n'ont pas très bon goût. Coupez les légumes en deux dans le sens de la longueur sans les séparer complètement. Lavez-les délicatement, puis égouttez-les et réservez dans un saladier.

Faites frire quelques tranches fines de pancetta ou de bacon. Elles doivent être bien dorées et croustillantes. Assaisonnez la salade avec la vinaigrette à l'huile d'olive et au jus de citron ou celle au vinaigre de vin rouge et aux herbes (voir page 42). Disposez la pancetta bien dorée sur la salade et servez aussitôt.

Salade de cœur de céleri et d'artichaut au parmesan, citron et huile d'olive

Salade d'épinards frais,
petits pois et feta fraîche

Salade d'épinards frais, petits pois et feta fraîche

Pour cette recette, prenez deux belles poignées de petits épinards bien frais et tendres, éliminez les trop grosses tiges et les feuilles flétries ou fanées; lavez-les soigneusement à grande eau. Essorez et placez les épinards dans un saladier avec 200 g de petits pois frais (si vous avez la chance d'en trouver, vous pouvez aussi utiliser de jeunes pois gourmands justes blanchis à l'eau bouillante). Servez la salade au dernier moment en assemblant les légumes, la vinaigrette à l'huile d'olive et au jus de citron (voir page 42). Parsemez le tout de petits morceaux de feta fraîche.

Salade de fèves, d'asperges et de haricots verts

Pour préparer cette recette, il vous faut répartir en quantités égales les fèves, les haricots verts et les asperges. Après avoir écossé toutes les fèves, triez-les : les plus petites peuvent être consommées crues, les plus grosses doivent être rapidement blanchies. Si, malgré la cuisson, il vous semble que la pellicule qui entoure les fèves reste désagréable, éliminez-la. Choisissez des asperges de petite taille. Ôtez leur base et, avec un économe, pelez-les à partir du bas de la pointe jusqu'au pied. Alignez les haricots verts, éliminez l'extrémité comportant une petite tige et conservez celle finissant par une fine mèche. Faites cuire les haricots à l'eau bouillante selon votre goût (ils doivent être tendres mais légèrement fermes). Faites la même chose pour les asperges. Assaisonnez les légumes avec la vinaigrette à la moutarde (voir page 43), de préférence lorsque les asperges et les haricots sont encore chauds.

Salade verte

J'aime mélanger de la roquette, du cresson, des petits épinards, des feuilles de moutarde, du fenouil finement émincé et de la romaine. Cependant, deux ou trois seulement de ces produits vous permettront de préparer une salade vraiment originale. Assaisonnez au dernier moment avec de la marjolaine, du vinaigre balsamique et de la vinaigrette à l'huile d'olive et au jus de citron (voir page 42), ou encore des herbes fraîches de votre choix et de la vinaigrette au vinaigre de vin rouge et aux herbes (voir page 42).

Vinaigrette au vinaigre de vin rouge et aux herbes

Pour 4 personnes
2 cuillerées à soupe de vinaigre de vin rouge
5 cuillerées à soupe d'huile d'olive vierge
1 cuillerée à café rase de sel
1 cuillerée à café rase de poivre noir fraîchement moulu
1 cuillerée à soupe pleine de marjolaine fraîche, hachée
1 cuillerée à soupe pleine de basilic frais, haché
1 cuillerée à soupe pleine de persil frais, haché
3 cuillerées à soupe d'échalotes hachées

Mélangez ensemble tous les ingrédients et ajoutez les échalotes en dernier.

Vinaigrette à l'huile d'olive et au jus de citron

Pour 4 personnes
2 cuillerées à soupe de jus de citron
5 cuillerées à soupe d'huile d'olive vierge
1 cuillerée à café rase de sel
1 cuillerée à café rase de poivre noir fraîchement moulu

Mélangez ensemble tous les ingrédients.

Vinaigrette au vinaigre balsamique et à la marjolaine

Pour 4 personnes
2 cuillerées à soupe de vinaigre balsamique (1 seule cuillerée peut suffire si vous avez un très bon vinaigre)
5 cuillerées à soupe d'huile d'olive vierge
3 cuillerées à soupe pleines de marjolaine hachée
1 cuillerée à café rase de poivre noir fraîchement moulu

Mélangez ensemble tous les ingrédients.

Vinaigrette à la moutarde

1 cuillerée à soupe pleine de moutarde de Dijon
2 cuillerées à soupe de jus de citron fraîchement pressé ou de vinaigre balsamique
5 cuillerées à soupe d'huile d'olive vierge
1 cuillerée à café rase de sel
1 cuillerée à café rase de poivre noir fraîchement moulu

Mélangez ensemble tous les ingrédients.

Vinaigrette aux anchois et aux câpres

Pour 4 personnes
1 cuillerée à soupe de petites câpres hachées ou pilées
2 cuillerées à soupe de jus de citron fraîchement pressé
5 cuillerées à soupe d'huile d'olive vierge
6 filets d'anchois hachés ou pilés
1 cuillerée à café rase de poivre noir fraîchement moulu

Mélangez tous les ingrédients dans un saladier. Le sel n'est pas nécessaire à cause des câpres et des anchois.

Vinaigrette à la moutarde ancienne, à l'ail et au miel

Pour 4 personnes
½ cuillerée à café d'ail haché
1 cuillerée à soupe de votre miel préféré
1 cuillerée à soupe pleine de moutarde à l'ancienne
2 cuillerées à soupe de jus de citron fraîchement pressé
5 cuillerées à soupe d'huile d'olive vierge

Mélangez ensemble tous les ingrédients.

Pappardelle, tagliatelle et taglierini

LES PÂTES

Ma passion pour les pâtes fraîches est née lors de mon passage au Westminter College. Il y avait là une population estudiantine très cosmopolite et il était passionnant de pouvoir confronter nos passés et nos cultures culinaires respectifs. Un de mes camarades préférés était Marco dont les parents étaient italiens mais qui avait grandi à Londres. C'était un garçon très sympathique, véritablement passionné par son pays, sa culture, sa gastronomie et, bien sûr, par les pâtes fraîches ! Je ne pense pas qu'il s'en soit jamais aperçu, mais il est responsable de ce qui devint pour moi presque une obsession. J'ai commencé à lire et à acheter des livres sur les pâtes dans lesquels je me plongeais pendant des heures. Tout ce qui concernait les pâtes fraîches était un sujet d'inspiration et d'imagination : les formes, les tailles, les couleurs étaient infinies et j'étais toujours désireux d'en savoir plus. Depuis ce temps, mon intérêt n'a pas faibli; de plus, la variété et la richesse des recettes de pâtes sont un sujet si vaste qu'il est impossible de vraiment tout connaître, c'est pourquoi j'observe toujours ce que font les autres en essayant d'apprendre de nouvelles astuces.

En ce qui concerne les pâtes sèches, elles sont non seulement pratiques, mais elles ont une consistance très agréable et elles sont délicieuses avec le poisson et les fruits de mer.

LA PRÉPARATION DES PÂTES

Il faut absolument que vous appreniez à réaliser ces deux recettes de pâtes fraîches. Les ingrédients sont différents, mais la méthode est la même ; vous pouvez les préparer à la main ou avec un robot mélangeur électrique. Si vous estimez que la pâte est trop humide ou collante, ajoutez un peu farine et si, au contraire, elle vous paraît sèche, ajoutez de l'œuf. Je prépare toujours plus de pâtes fraîches que je n'en ai réellement besoin : je fais sécher le reste et je les conserve dans des récipients hermétiques ; elles sont ensuite excellentes et très rapides à cuisiner.

Pâtes fraîches vite faites, pour tous les jours

Pour 4 personnes

500 g de farine à pain (type 55)

5 gros œufs fermiers extra-frais

De la farine tamisée pour étaler la pâte

Pâtes fraîches spéciales

Pour 4 personnes

150 g de farine à pain (type 55)

350 g de semoule très fine (si vous ne trouvez pas de semoule, n'utilisez que de la farine)

2 gros œufs fermiers extra-frais

9 ou 10 jaunes d'œufs extra-frais

De la farine tamisée pour étaler la pâte

Méthode de travail (pour les deux recettes)

Ce qui compte vraiment pour réussir de superbes pâtes fraîches, c'est d'utiliser des œufs fermiers ou biologiques les plus frais possible, ainsi qu'une farine à pain assez forte, finement moulue. Il faudra pétrir les ingrédients pour obtenir une pâte soyeuse et moelleuse, puis la travailler ensuite pour que le gluten contenu dans la farine donne à l'ensemble une consistance plus ferme et légèrement élastique.

Si vous faites la pâte à la main, travaillez sur un plan de travail propre ou dans un grand saladier. Toute la préparation pendra environ 5 minutes. Un pétrisseur électrique prendra encore moins de temps. Vite fait bien fait, non ?

Préparer la pâte

Étape n° 1 - À la main. Placez la farine sur le plan de travail, creusez une cheminée et versez-y les œufs cassés (et les jaunes si vous préparez la recette « spéciale »). Avec une fourchette, brisez les œufs et mélangez en ramenant la farine vers le centre. Lorsque la pâte commence à se former, travaillez-la en force pendant 3 minutes environ pour obtenir une consistance lisse, soyeuse et élastique. Enveloppez la pâte dans du film alimentaire et laissez-la reposer au réfrigérateur pendant 1 heure.

Étape n° 1 - Avec un pétrisseur électrique. Utilisez le crochet pétrisseur. Assemblez les œufs et la farine dans le bol du pétrin et travaillez à vitesse moyenne pendant 3 minutes jusqu'à obtenir une pâte ferme. Sortez-la du pétrin et travaillez-la à la main pendant 1 autre minute pour obtenir une consistance élastique et soyeuse. Enveloppez la pâte dans du film alimentaire et laissez-la reposer au réfrigérateur pendant 1 heure.

Étape n° 1 - Avec un robot mixer. Assemblez tous les ingrédients et lancez l'appareil. En moins de 30 secondes, la pâte paraît assez caoutchouteuse et friable. Travaillez encore quelques instants pour que la pâte, grâce au gluten de la farine, commence à se former. Sortez-la du robot (le bol doit être propre) et travaillez-la à la main pendant 1 autre minute pour obtenir une consistance élastique et soyeuse. Enveloppez la pâte dans du film alimentaire et laissez-la reposer au réfrigérateur pendant 1 heure.

Étaler la pâte

Étape n° 2 - Avec un rouleau à pâtisserie. Sortez la pâte du réfrigérateur et divisez-la en deux boules. Recouvrez l'une des boules et, avec la paume de la main, aplatissez l'autre. Farinez le plan de travail puis, avec le rouleau, commencez à étaler la pâte en l'étirant vers l'extérieur, et en tournant l'abaisse à 90° de temps en temps. Travaillez de la sorte pour obtenir une abaisse de pâte très fine de 1 ou 2 mm d'épaisseur selon le type de pâte que vous souhaitez préparer.

Il est plus facile d'étaler la pâte avec un rouleau assez long, lisse et plutôt lourd. Lorsque vous étalez une abaisse de pâte vous pouvez essayer d'obtenir une forme bien carrée, mais cela n'est pas vraiment important. La régularité n'est pas le but recherché ici ; je pense même qu'il vaut mieux faire des pâtes qui paraissent artisanales, faites à la main et non à la machine, comme dans une usine.

Étape n° 2 - Avec un laminoir. Sortez la pâte du réfrigérateur et divisez-la en quatre morceaux égaux. Recouvrez trois boules avec du film alimentaire. Aplatissez l'une des boules avec la paume de la main, puis passez cette pâte dans le laminoir réglé à sa plus grande hauteur de manière à obtenir une dimension qui corresponde à peu près à la largeur des rouleaux. Farinez ensuite la pâte, puis laminez-la progressivement, de plus en plus fin, sans vous presser jusqu'à obtenir une épaisseur d'environ 1 mm. Avec un laminoir à pâte, on peut obtenir des abaisses bien plus fines qu'avec un rouleau.

L'utilisation du laminoir est parfois délicate, mais il ne faut pas se décourager. Cet ustensile est vraiment utile, inusable et d'un prix raisonnable. Une fois que vous le posséderez, vous pourrez réaliser rapidement quelques pâtes fraîches quand vous en aurez envie (c'est, en fait, bien plus rapide que d'aller les acheter au supermarché). Ce n'est qu'une question d'habitude : lorsque l'on a compris comment la pâte se travaille et réagit, rien n'est plus facile à faire.

1. Pour étaler la pâte, commencez par un réglage assez épais.

3. Lorsque la pâte est assez fine, farinez légèrement.

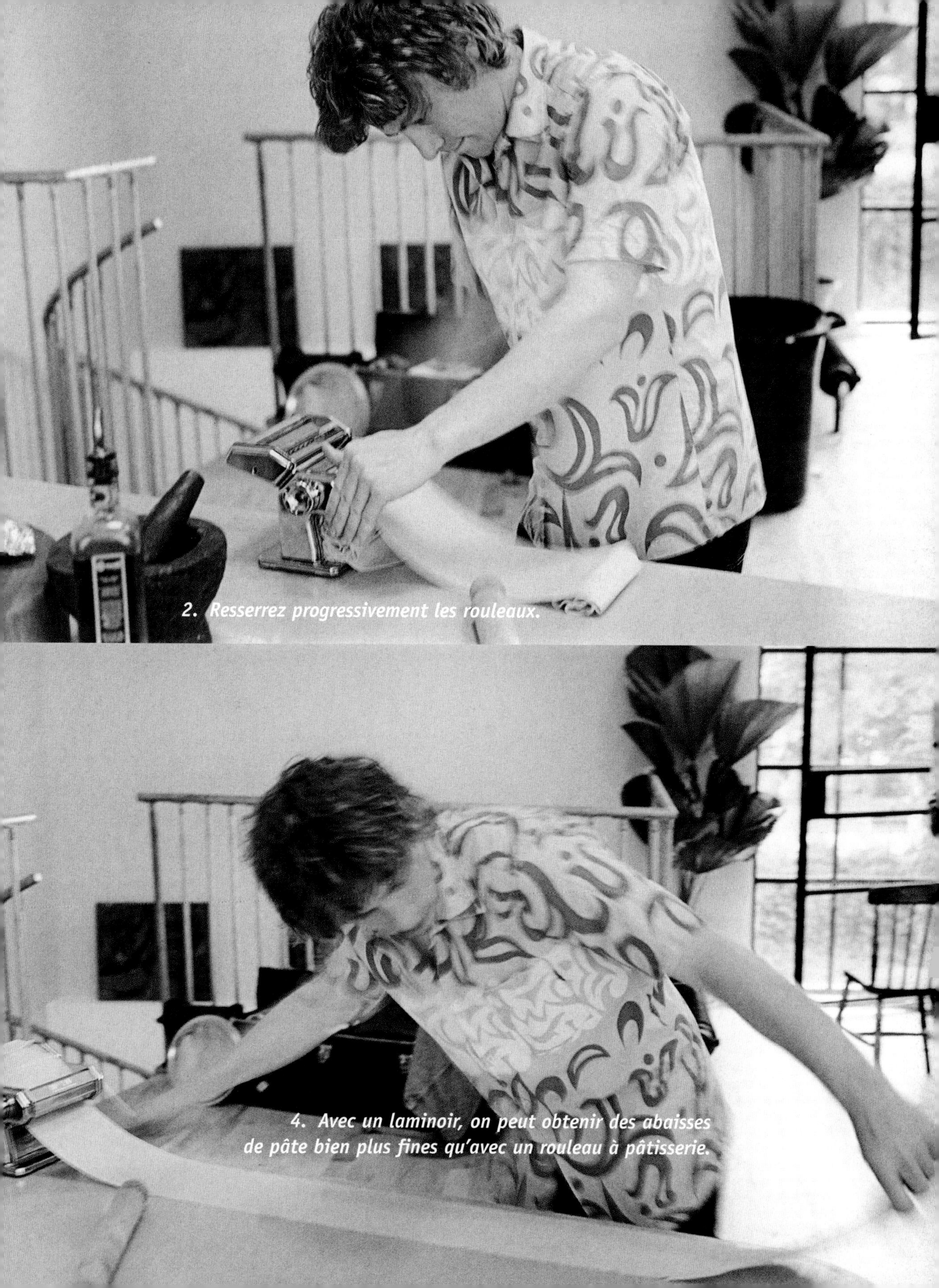

2. Resserrez progressivement les rouleaux.

4. Avec un laminoir, on peut obtenir des abaisses de pâte bien plus fines qu'avec un rouleau à pâtisserie.

VARIATIONS SUR LE GOÛT ET LA COULEUR DES PÂTES FRAÎCHES (pour les deux recettes de base)

Pâtes fraîches aux herbes

Ajoutez 4 poignées de ciboulette fraîche finement hachée (ou également d'autres herbes, persil ou basilic). Préparez la pâte comme pour la recette classique.

Pâtes fraîches à la betterave

J'ai finalement trouvé une bonne manière d'employer les betteraves précuites que l'on vend tant en Grande-Bretagne. Enlevez 2 des œufs de la recette classique et remplacez-les par 1 volume à peu près équivalent de betterave cuite, pelée et réduite en purée. Préparez cette pâte comme la recette classique en ajoutant, le cas échéant, un peu de farine pour obtenir la consistance soyeuse, élastique et lisse recherchée.

Pâtes fraîches aux épinards

Enlevez 2 des œufs de la recette classique. Ajoutez approximativement 300 g d'épinards blanchis, très soigneusement essorés (dans une toile solide et fine) et finement hachés. Préparez cette pâte comme la recette classique en ajoutant, au besoin, un peu de farine pour obtenir la consistance soyeuse, élastique et lisse recherchée.

Pâtes fraîches au poivre

Ajoutez 1 cuillère à soupe rase de poivre noir fraîchement moulu à la recette classique et préparez la pâte normalement.

Pappardelle aux champignons des bois

De nos jours, le choix de champignons sauvages que l'on trouve dans les supermarchés semble de plus en plus vaste. Ils ne sont pas toujours conservés et rangés comme je pense qu'ils devraient l'être, mais les choses semblent s'améliorer. Je m'étonne néanmoins toujours de voir des pieds de moutons, des girolles ou des trompettes de la mort sur les étals tout au long de l'année en même temps que d'autres espèces plus prévisibles comme les shitakés ou encore les pleurotes. Le choix est donc très large. Si vous êtes végétarien, les champignons peuvent être un élément à la fois nourrissant et savoureux de votre régime alimentaire.

Pour 4 personnes

250 à 300 g de champignons (il vous faudra en acheter probablement 400 g en raison des pertes lors du nettoyage)
3 cuillerées à soupe d'huile d'olive
1 gousse d'ail finement hachée
1 ou 2 petits piments rouges, secs finement hachés
Sel et poivre noir fraîchement moulu
Le jus d'½ citron
455 g de pappardelle (voir la recette de base, page 47)
2 cuillerées à soupe de parmesan râpé
1 botte de persil frais, grossièrement haché
55 g de beurre non salé

Éliminez les impuretés des champignons avec un pinceau à pâtisserie ou un morceau de tissu. Émincez-les finement, et séparez en deux groupes les girolles, les pleurotes et les chanterelles. Faites chauffer de l'huile d'olive à feu vif dans une poêle et placez-y les champignons. Faites cuire à feu vif en mélangeant de temps à autre, puis ajoutez l'ail, le piment et une pincée de sel (il est très important de saler légèrement les champignons, car le sel relève et amplifie leur goût). Continuez à faire cuire ainsi pendant 4 ou 5 minutes, toujours en remuant. Arrêtez ensuite la cuisson, et pressez le jus du citron sur la préparation. Vérifiez l'assaisonnement.

Pendant ce temps, faites cuire les pâtes dans une eau bouillante et salée. Égouttez et mélangez-les aux champignons, avec le parmesan, le persil et le beurre. Mélangez en enrobant les pâtes des champignons et de leur parfum. Versez dans un plat, en faisant bien tomber les petits morceaux de champignons qui restent collés à la poêle, parsemez de persil et d'un peu de parmesan.

Pappardelle aux poireaux doux et au mascarpone

Quand vous achetez des poireaux, choisissez-les de taille petite ou moyenne, ils seront plus tendres, plus parfumés ; en fait bien meilleurs.

Pour 4 personnes
1 petite noix de beurre
1 cuillerée à soupe d'huile d'olive
4 poireaux moyens, nettoyés et émincés en biseau
1 gousse d'ail
Sel et poivre noir fraîchement moulu
200 g de mascarpone
455 g de pappardelle (voir recette de base, page 47)
3 cuillerées à soupe de parmesan râpé

Mettez le beurre et l'huile d'olive dans une poêle à fond épais chauffée à feu moyen. Ajoutez les poireaux, l'ail, salez et faites suer lentement sans colorer pendant environ 10 minutes à couvert. Les poireaux doivent devenir tendres et doux. Incorporez ensuite le mascarpone et laissez-le fondre avec les poireaux pour qu'une sauce assez épaisse se forme. Vérifier l'assaisonnement.

Pendant ce temps, faites cuire les pâtes dans une grande quantité d'eau bouillante salée en les maintenant légèrement fermes. Mélangez-les délicatement avec la sauce (si celle-ci vous paraît trop épaisse, ajoutez un peu de l'eau de cuisson). La sauce doit enrober les pappardelle. Servez en saupoudrant généreusement le tout de parmesan.

Tagliatelle aux courgettes fleurs, au citron et au basilic

Voici une recette de pâtes fraîches légère, parfumée et très rapide à préparer. Elle nécessite des petites courgettes bien fermes qui n'ont pas besoin d'être cuites longuement. Les grosses courgettes, dont la pulpe est spongieuse, ne conviennent pas du tout à cette préparation.

Pour 4 personnes
4 cuillerées à soupe d'huile d'olive
1 gousse d'ail, finement hachée
8 courgettes fleurs de très petite taille
Le jus d'1 citron
1 botte de basilic bien frais
455 g de tagliatelle (voir recette de base, page 47)
Sel et poivre noir fraîchement moulu
90 g de parmesan râpé

Mettez l'ail et l'huile d'olive dans une poêle à fond épais chauffée à feu moyen et faites suer sans laisser colorer pendant 30 secondes en mélangeant. Ajoutez les petites courgettes (coupez-les en rondelles si elles sont trop grosses) et faites cuire pendant 2 minutes, puis ajoutez le jus du citron, incorporez le basilic haché et poursuivez la cuisson 1 autre minute.

Pendant ce temps, faites cuire les pâtes dans une grande quantité d'eau bouillante salée en les gardant légèrement fermes. Égouttez et mélangez avec les courgettes cuites. Assaisonnez, ajoutez le parmesan. Si les pâtes vous paraissent un peu trop sèches, ajoutez un filet d'huile d'olive. Disposez les pâtes sur un plat de service et décorez avec quelques feuilles de basilic et du parmesan râpé.

Tagliatelle à la betterave, au pesto et moules au vin blanc

J'ai appris cette recette d'un ami italien qui habite à Florence. Ses couleurs sont assez originales ; les moules et le pesto forment un mariage inattendu et réussi. Essayez cette recette qui est, de plus, très rapide à préparer.

Pour 4 personnes
3 cuillerées à soupe d'huile d'olive
455 g de moules bien fraîches (lavées, ébarbées et rincées)
1 gousse d'ail, finement émincée
150 ml de vin blanc
1 petite noix de beurre
1 botte de persil plat, lavé et grossièrement haché
455 g de tagliatelle roses à la betterave (voir la recette de base et variations, pages 47 et 53)
Sel et poivre noir fraîchement moulu
Pesto (voir page 232)

Placez l'huile d'olive dans une casserole à fond épais avec les moules, le vin blanc et l'ail. Faites chauffer, couvrez et mélangez fortement (la préparation grésillera beaucoup), faites cuire pendant 4 minutes. La vapeur produite va ouvrir et cuire les moules. Finissez avec la noix de beurre et le persil. Sortez du feu et éliminez les moules qui ne se sont pas ouvertes.

Pendant ce temps, faites cuire les tagliatelle dans de l'eau bouillante salée en les gardant légèrement fermes. Mélangez-les avec les moules et leur jus, assaisonnez, puis servez sur assiettes avec 1 généreuse cuillerée à soupe de pesto.

Taglierini aux filets de rougets poêlés, aux tomates séchées, piment, persil et olives noires

Pour 4 personnes

6 cuillerées à soupe d'huile d'olive
4 filets de rougets écaillés et sans arêtes d'environ 200 g chacun
2 piments rouges sans pépins finement émincés
1 gousse d'ail finement émincée
100 g de tomates séchées, grossièrement émincées
100 g d'olives noires
1 verre de vin blanc
455 g de taglierini (voir la recette de base, page 47)
Sel et poivre noir fraîchement moulu
1 botte de persil plat, très finement haché
Un peu d'huile d'olive vierge

Chauffez l'huile à feu moyen dans une casserole à fond épais et placez-y les filets de rougets, côté peau vers le haut. Saupoudrez le tout avec les piments, l'ail, les tomates séchées et les olives noires. Faites cuire ainsi pendant environ 2 minutes sans laisser colorer l'ail. Versez ensuite le vin blanc, couvrez la casserole et laissez cuire lentement pendant 2 minutes.

Pendant ce temps, faites cuire les taglierini dans un grand volume d'eau bouillante salée en les tenant légèrement fermes. Égouttez-les. Avec une spatule, poussez délicatement les filets de rougets cuits vers le bord de la poêle, puis inclinez-la pour que tout le jus de cuisson se rassemble vers le bord opposé et mélangez-y les pâtes cuites. Lorsqu'elles sont bien enrobées de ce jus, vérifiez l'assaisonnement et ajoutez presque tout le persil et les filets de rougets. Mélangez tout doucement pour ne pas les briser. Servez en parsemant les assiettes de service du reste du persil haché et de quelques gouttes d'huile d'olive vierge.

LES RAVIOLI

Farcis à la viande et accompagnés de sauce tomate, les ravioli ne constituent pas seulement un plat à réchauffer rapidement quand vous n'avez pas l'esprit à cuisiner : ils ont vraiment quelque chose d'excitant et d'original, comme des petites surprises... Je pense qu'après avoir eu la patience de préparer vos propres pâtes fraîches, il ne vous manque plus que de savoir les farcir avec des garnitures raffinées et savoureuses. Les ravioli sont très variés : leurs parfums peuvent être forts, légers ou riches; il vous suffit d'ajuster la recette à votre goût avec les meilleurs ingrédients possible. En Italie, les ravioli sont des mets délicats : chaque région, chaque village, chaque restaurant possède ses spécialités propres, toutes de formes et tailles différentes.

La chose la plus importante concernant les ravioli est qu'ils doivent être hermétiquement fermés. Si les bords ne sont pas étanches ou si la pâte est fendue (ce qui peut parfois se produire en raison des différences de consistance entre la pâte et les farces), l'eau de cuisson pénétrera dans le ravioli et dénaturera la plus savoureuse de vos recettes de farce.

La préparation des ravioli

Étalez plusieurs abaisses de pâte à une épaisseur d'environ 1 mm. Procédez en ne fabriquant que 4 ou 5 ravioli à a fois ; couvrez la pâte qui sera utilisée avec un linge légèrement humide. En général, je donne aux ravioli une dimension de 7 cm de côté. Si vous étalez votre pâte à la machine, vos abaisses feront, en général, 10 cm de large, ce qui vous donne de la marge pour les mouler, les souder et les découper. Placez votre bande de pâte sur un plan de travail généreusement fariné. À l'une de ses extrémités et au milieu, dans le sens de la largeur, déposez 1 cuillerée à soupe pleine de farce. Répétez cette opération tout le long de la pâte en espaçant à chaque fois la farce de 5 cm. Avec un pinceau bien propre et de l'eau (et non des œufs ; je ne sais pas d'où vient cette idée étrange) humectez légèrement et régulièrement la pâte. (C'est l'eau qui collera les abaisses de pâtes ensemble, et il va sans dire que si cette opération n'est pas faite correctement, les raviolis ne seront pas étanches.) Posez ensuite une autre couche de pâte sur la première.

À partir de cette étape, il faudra faire preuve de délicatesse et de doigté. Avec votre pouce, ou la paume de la main, faites descendre la pâte du dessus sur le bord qui lui est opposé. En commençant d'un côté, avec les doigts recourbés, faites épouser les formes des petits dômes de farce par la pâte du dessus. (Tout cela peut paraître compliqué, mais il n'en est rien ; ça ne prend que quelques secondes, et cette méthode est efficace pour chasser l'air des ravioli et être certain, ensuite, de leurs soudures). Répétez l'opération tout le long de la pâte en vous assurant que l'ensemble ne colle pas au plan de travail. Découpez ensuite les ravioli avec un couteau ou une petite roulette dentelée. Les ravioli sont prêts et peuvent être cuits directement. Comptez 3 ou 4 minutes dans une eau salée et à faible ébullition. Si vous voulez les déguster plus tard, vous pouvez aussi les conserver au réfrigérateur pendant 3 ou 4 heures sur un plateau fariné généreusement de semoule fine.

Ravioli au jambon sec, aux tomates séchées, basilic et mozzarella

Cette recette, somme toute assez classique, est rapide à faire et vraiment excellente. Essayez-la. Employez la mozzarella la plus fraîche possible.

Pour 4 personnes
100 g de parmesan râpé
1 botte de basilic frais, grossièrement haché
12 tomates séchées, grossièrement hachées
200 g de mozzarella, grossièrement hachée
Sel, poivre noir fraîchement moulu
10 tranches fines de jambon sec italien sans gras
455 g de pâte de base (voir la recette de base, page 47)
Huile d'olive
Un peu de basilic et de parmesan en plus, pour le décor et le service

Dans un saladier, assemblez le parmesan, le basilic, les tomates séchées et la mozzarella. Mélangez le tout et assaisonnez avec le sel et le poivre. Partagez les tranches de jambon en deux. Placez 1 bonne cuillerée à soupe de farce à l'extrémité des tranches de jambon, repliez la viande et roulez-la pour que la garniture ne puisse pas ressortir. Répétez cette opération avec toute la farce et le jambon pour obtenir 20 petites boules. Préparez les ravioli (voir ci-contre) et faites-les cuire à petite ébullition dans une eau salée pendant 3 ou 4 minutes. Égouttez avec précaution.

Servez ces ravioli avec quelques gouttes d'huile d'olive, du poivre noir moulu, du parmesan fraîchement râpé et du basilic.

Ravioli à la bourrache, aux orties, à la marjolaine et à la ricotta fraîche

Pour cette délicieuse recette, choisissez de la bourrache et des orties assez jeunes, puis lavez-les et faites-les blanchir dans une eau salée où disparaîtront les minuscules épines urticantes. Les légumes ressemblent alors à des épinards tout en gardant leur forme et leur texture. Hachées et étuvées au beurre avec de la marjolaine et de l'ail, les orties sont succulentes.

Pour 4 personnes
250 g de feuilles d'orties
250 g de feuilles de bourrache
2 cuillerées à soupe d'huile d'olive
1 noix de beurre
1 gousse d'ail hachée
10 feuilles de marjolaine hachées
Sel et poivre noir fraîchement moulu
Noix de muscade fraîchement râpée
400 g de ricotta
100 g de parmesan
455 g de pâte fraîche (voir la recette de base, page 47)
Un peu de beurre et de parmesan en plus pour le service

Après avoir détaché les feuilles d'orties et de bourrache, lavez-les puis plongez-les 30 secondes dans un grand volume d'eau bouillante et salée. Cela attendrira les feuilles et éliminera les aiguilles urticantes (ne soyez pas tenté de trop prolonger cette cuisson). Égouttez-les et essorez-les en les pressant à travers un linge propre. Hachez-les grossièrement et placez-les dans une casserole à fond épais et chauffée à feu moyen avec l'huile d'olive, la marjolaine et le beurre. Faites cuire lentement et assaisonnez en même temps avec la noix de muscade. Après quelques minutes, l'ensemble devrait être parfumé. Sortez du feu et laissez refroidir un moment.

Lorsque les légumes sont froids, ajoutez la ricotta avec une fourchette, puis le parmesan et remuez soigneusement. Vérifiez l'assaisonnement. Remplissez les ravioli (voir page 65) et faites-les cuire 3 ou 4 minutes dans de l'eau bouillante salée. Servez 3 ou 4 ravioli par personne avec une noix de beurre et un peu de parmesan râpé. J'aime beaucoup utiliser les fleurs mauves de la bourrache : je les fais frire dans du beurre clarifié pour les rendre croustillantes et j'en parsème les ravioli juste avant de servir.

Ravioli de purée de fèves à la menthe et à la ricotta

Pour 6 personnes
320 g de fèves écossées
1 petite botte de menthe sans tige et hachée
1 cuillerée à soupe d'huile d'olive
150 g de ricotta
60 g de parmesan râpé
Le jus d'1 citron
Sel et poivre noir fraîchement moulu
455 g de pâte fraîche
Un peu de menthe hachée, de l'huile d'olive et du parmesan pour le service

Si les fèves sont de petite taille et souples, vous pouvez les utiliser crues. Si elles sont plus grosses, faites-les blanchir pour les attendrir dans une eau non salée (enlevez la peau si vous la jugez trop ferme). Réduisez la moitié des fèves en purée et conservez les autres entières. Dans un saladier, assemblez les fèves entières, la purée, l'huile d'olive, la menthe et la ricotta. Mélangez le tout avec une fourchette et ajoutez le parmesan, le jus de citron, le sel et le poivre noir. Remplissez les ravioli de cette farce (voir page 65), puis faites-les cuire dans de l'eau salée portée à ébullition moyenne. Égouttez-les délicatement.

Servez les ravioli avec quelques gouttes d'huile d'olive et parsemez-les de menthe hachée et de fins copeaux de parmesan.

Ravioli aux pommes de terre, au cresson et aux fromages

Jouez l'originalité en utilisant deux délicieux fromages aux goûts contrastés comme le gorgonzola ou le taleggio crémeux, un parmesan ou un pecorino.

Pour 4 ou 6 personnes
570 g de pommes de terre
4 gousses d'ail épluchées
Sel et poivre noir fraîchement moulu
55 g de beurre
150 g de fromage (deux variétés au minimum; voir plus haut)
1 pincée de noix de muscade
1 botte de cresson, sans les tiges
455 g de pâte fraîche (voir la recette de base, page 47)
Un peu d'huile d'olive ou de beurre; du fromage et du cresson pour décorer

Lavez et pelez les pommes de terre et faites-les cuire dans une eau assez salée avec l'ail (elles doivent être juste tendres, ni trop dures, ni trop molles). Égouttez-les ensuite pendant 1 minute pour que l'eau s'évapore (si les pommes de terre sont trop cuites ou si vous ne les égouttez pas assez, la farce sera trop humide).

Lorsque les pommes de terre sont refroidies, ajoutez le beurre et les fromages que vous avez choisis. Mélangez avec une fourchette pour bien incorporer les différents ingrédients. (Je préfère que cette purée ne soit pas trop lisse et j'y laisse volontairement des morceaux bien visibles.) Ajoutez la noix de muscade, le sel et le poivre. Hachez finement la moitié du cresson, grossièrement le reste, et ajoutez le tout aux pommes de terre. Farcissez les ravioli avec cette préparation et faites-les cuire 4 minutes environ dans une eau bouillante et salée.

Servez avec quelques gouttes d'huile d'olive ou du beurre, quelques copeaux des fromages de la farce et des feuilles de cresson bien vert.

TORTELLINI

Les tortellini sont assez semblables aux ravioli; cependant, une fois préparés, ils semblent être moins fragiles et mieux supporter la cuisson. Cela signifie, par exemple, que l'on peut les mélanger à des beurres d'herbes, ou les incorporer dans des salades. Ils sont, en fait, plus résistants et peuvent ainsi entrer dans la composition d'une plus grande variété de recettes.

La préparation des tortellini

Étalez plusieurs morceaux de pâte sur une épaisseur d'environ 1 mm. À l'aide d'un couteau bien tranchant, découpez-les en rectangles ou en cercles (environ 10 cm de diamètre, ou aux dimensions que vous préférez). Vous pouvez découper ainsi toutes vos abaisses de pâte en une seule fois ou le faire au fur et à mesure. N'oubliez pas de les protéger du dessèchement en les couvrant d'un linge légèrement humide. Déposez 1 bonne cuillerée de farce au centre. Avec un pinceau bien propre et de l'eau, humectez la surface de la pâte. Cette opération doit être accomplie avec précision, sinon la pâte s'ouvrira pendant la cuisson. Pliez la pâte en deux en enrobant la farce et ne vous inquiétez pas si les pièces formées vous semblent de formes inégales (c'est en fait plus joli de cette manière car les tortellini paraissent artisanaux et non fabriqués par un procédé industriel). Pour chasser l'air et être sûr de l'étanchéité des soudures, courbez votre main et vos doigts, puis plaquez la pâte contre la farce en appuyant doucement (s'il y a des fissures ou des trous dans la pâte, le tortellini s'ouvrira pendant la cuisson : ouvrez-le, récupérez la farce et recommencez). Rapprochez les deux « ailes » du tortellini et pressez-les ensemble avec le bout des doigts. Vos tortellini sont prêts. Vous pouvez les faire cuire immédiatement, en général 3 ou 4 minutes, dans une eau salée portée à ébullition moyenne ou encore les conserver 3 ou 4 heures sur un plateau bien fariné.

Tortellini aux fromages et basilic à la sauce aux tomates fraîches

Les pires tortellini que j'ai mangés contenaient une farce réalisée avec plusieurs fromages. J'admets que tous venaient de supermarchés ou de mauvaises épiceries et qu'ils avaient sans doute été farcis avec des restes de fromages bon marché. La recette que je vous propose est vraiment l'une des meilleures qui soient car vous pouvez choisir et équilibrer les fromages en fonction de vos propres goûts. Faites différents mélanges (fromages forts et crémeux, par exemple) ou toute autre association que vous appréciez. Souvenez-vous que lorsque le fromage cuit, il fond, et que certains fromages, comme la fontina, fondent mieux que d'autres. La sauce aux tomates fraîches est vraiment délicieuse car en plus de donner un goût succulent, elle atténue la richesse des fromages et les rend plus digestes.

Pour 4 ou 6 personnes
55 g de fromage fontina
55 g de pecorino
55 g de parmesan
55 g de ricotta
1 botte de basilic frais effeuillé
Sel et poivre noir fraîchement moulu
455 g de pâte fraîche (voir la recette de base, page 47)
1 fois la recette de sauce tomate (voir page 237)
Un peu d'huile d'olive vierge et du parmesan pour le service

Râpez ou émincez (le cas échéant) les fromages et rassemblez-les dans un saladier avec les 3/4 du basilic grossièrement émincé. Il est toujours bon d'ajouter dans votre mélange un fromage liant comme la ricotta car il rend la farce plus homogène. Poivrez légèrement. Farcissez les tortellini (voir page 72), puis faites-les cuire à l'eau bouillante et salée 3 ou 4 minutes. Le temps de cuisson de la sauce tomate correspond à celui de la préparation des tortellini. Lorsqu'ils sont cuits, égouttez-les, ajoutez la sauce et mélangez. Incorporez le reste du basilic (feuilles entières) et mélangez à nouveau.

Servez avec quelques gouttes d'huile d'olive et un peu de parmesan.

Tortellini aux courgettes épicées, au basilic, à la ricotta et aux herbes croustillantes

Pour 4 ou 6 personnes
1 fois la recette des courgettes rôties (voir page 148)
1 botte de basilic frais sans tige, grossièrement haché
225 g de ricotta (le meilleur que vous puissiez trouver)
100 g de parmesan râpé
Sel et poivre noir fraîchement moulu
455 g de pâte fraîche (voir la recette de base, page 47)
100 g d'herbes mélangées (sauge, marjolaine et thym)
4 cuillerées à soupe de beurre clarifié (voir page 227) ou 4 cuillerées à soupe d'huile d'olive extra-vierge

Séparez en deux les courgettes cuisinées ; hachez finement une moitié et grossièrement la seconde (vous pouvez les peler avant cuisson si vous préférez, mais, personnellement, j'aime les laisser intactes car la consistance est meilleure). Placez toute les courgettes dans un saladier avec le basilic, la ricotta et presque tout le parmesan. Mélangez avec une fourchette et vérifiez l'assaisonnement. Préparez les tortellini avec cette farce (voir page 72) et faites-les cuire 3 minutes dans de l'eau bouillante salée.

Faites frire les herbes dans un peu de beurre clarifié (voir page 227), ou de l'huile d'olive pour les rendre bien croustillantes et parsemez-en les tortellini cuits. Servez en saupoudrant le tout du reste de parmesan râpé.

Tortellini aux asperges parfumées à la menthe et à la ricotta

Voici un plat excellent et original. Ce qui est dommage avec les asperges, ce sont les pertes dues à l'épluchage, mais dans cette recette, on les utilise en totalité.

Pour 4 ou 6 personnes
2 belles bottes d'asperges
4 cuillerées à soupe d'huile d'olive
85 g de beurre
1 gousse d'ail finement hachée
Sel et poivre noir fraîchement moulu
400 g de ricotta
1 petite botte de menthe fraîche, finement émincée
100 g de parmesan
455 g de pâte (voir page 47)
Un peu de menthe et de parmesan pour le service

Pour commencer, nettoyez les asperges. Il est toujours surprenant de voir la quantité de sable que l'on trouve sur leur pointe : lavez-les soigneusement puis rincez rapidement les queues. Rassemblez les asperges en une botte avec la main et coupez les pointes en comptant 6 cm environ de longueur; réservez. Pelez ensuite les tiges et émincez-les en biais. Faites-les sauter dans l'huile d'olive, 45 g de beurre et l'ail. Lorsqu'elles sont bien cuites et assez molles, assaisonnez-les et laissez-les refroidir. Après refroidissement, rassemblez dans un saladier les queues d'asperges cuites, les 3/4 de la menthe, la ricotta et le parmesan. Mélangez bien tous les ingrédients et vérifiez l'assaisonnement. Préparez les tortellini avec cette farce (voir page 72) et faites-les cuire 3 minutes dans de l'eau bouillante salée. Pendant la préparation des tortellini, faites cuire les pointes d'asperges dans 40 g de beurre fondu; salez-les. Disposez les tortellini dans les assiettes de service et décorez avec les pointes d'asperges encore chaudes. Saupoudrez les assiettes de quelques pincées de menthe et de parmesan râpé.

Tortellini verts à la ricotta, aux herbes d'été et au parmesan

Pour 4 à 6 personnes
400 g de ricotta fraîche
1/4 de gousse d'ail
1/2 piment rouge
Sel et poivre noir fraîchement moulu
1 botte de basilic frais sans tige, grossièrement haché
1/2 botte de marjolaine fraîche ou d'origan frais sans tige, grossièrement haché
1/2 botte de persil plat sans tige, grossièrement haché
1/2 botte de menthe fraîche sans tige, grossièrement hachée
100 g de parmesan fraîchement râpé
455 g de pâte aux épinards (voir recette de base et variations, pages 47 et 53)
Un peu de beurre pour le service

Placez la ricotta, l'ail, le piment, le sel, le poivre, les 3/4 des herbes hachées et les 3/4 du parmesan dans un saladier et mélanger délicatement avec une fourchette. Ajustez les quantités de parmesan, de sel, de poivre et de piment pour obtenir un bon équilibre. La farce doit être assez légère et riche en arômes. Pour lui donner un goût plus intense, prélevez 1/4 des herbes, pilez-les dans un mortier et incorporez-les. Cela aura, en plus, l'avantage de colorer agréablement tout le mélange. Farcissez les tortellini (voir page 72) et faites-les cuire dans une eau bouillante et salée pendant 3 ou 4 minutes. Lorsqu'ils sont cuits et tendres, égouttez-les et servez-les dans des bols après avoir parsemé le tout du reste des herbes hachées, de quelques noisettes de beurre et du reste du parmesan.

LES FARFALLE

Pour les farfalle, je donne à ma pâte une épaisseur d'environ 1,5 mm. Ces pâtes sont extrêmement simples à préparer et vous n'aurez besoin que d'un couteau ou d'un découpe-pâte à roulette crantée.

La préparation des farfalle

Avec un couteau, égalisez les quatre coins de votre abaisse de pâte et placez-la devant vous, dans le sens de la longueur. Décidez de la taille des farfalle que vous voulez découper : souhaitez-vous faire des pièces de petite taille (pour les soupes, par exemple), ou les désirez-vous plus grosses ? Cela n'a, en fait, pas d'importance, et c'est pourquoi les pâtes fraîches maison sont si pratiques, car vous pouvez toujours choisir. En principe, je détaille mon abaisse de pâte en long pour obtenir 3 bandes d'environ 4 cm de large. Superposez-les et coupez-les à angles droits tous les 7,5 cm avec un couteau ou un coupe-pâte.

Vous allez ainsi obtenir une multitude de petits rectangles de pâte. Pour donner aux farfalle leur forme caractéristique de nœud papillon, pincez et rapprochez les deux bords des rectangles de pâte en leur milieu en vous assurant que la forme donnée soit conservée. Tout cela se fait très vite.

Laissez les farfalle sécher 5 minutes et ils seront parfaits pour être cuits directement. Vous pouvez aussi les laissez sur un plateau fariné et les recouvrir d'un linge légèrement humide (ils resteront frais pendant 4 heures environ, si vous souhaitez les cuire plus tard). Pour les faire sécher complètement, laisser les farfalle à l'air libre sur un plateau pendant 24 heures environ en les espaçant bien, puis placez-les dans un récipient hermétique. Convenablement déshydratés, les farfalle se conserveront au moins 2 mois.

Farfalle-« minute » à la sauce tomate

Cette sauce est préparée avec des tomates parfaitement mûres. Elle n'est pas aussi riche en goût que la recette de la page 237 car elle se cuisine rapidement, ce qui la rend plus légère et délicate. Vous pouvez la réaliser en laissant des morceaux de tomates entiers ou la mixer complètement.

Pour 4 ou 6 personnes
4 cuillerées à soupe d'huile d'olive
6 à 8 tomates moyennes
1 gousse d'ail, finement hachée
Sel et poivre noir fraîchement moulu
1 botte de basilic sans tige et haché
455 g de farfalle (voir la recette de base, page 47)
2 cuillerées à soupe d'huile d'olive pour le service
2 cuillerées à soupe de parmesan râpé

Versez l'huile d'olive dans une casserole à fond épais. Pendant qu'elle chauffe, enlevez le pédoncule des tomates, lavez-les et coupez-les grossièrement. Faites saisir l'ail dans l'huile chaude. Attention, cela risque de provoquer quelques projections. Ajoutez les tomates. Amenez à ébullition et laissez cuire pendant 5 minutes environ. Vous pouvez proposer cette sauce avec des morceaux ou, au contraire, la passer au mixer. Assaisonnez-la pendant qu'elle est chaude et ajoutez presque tout le basilic.

Pendant ce temps, faites cuire les farfalle dans de l'eau bouillante salée en les gardant légèrement fermes, puis égouttez-les. Ajoutez la sauce tomate, mélangez et agrémentez de quelques gouttes d'huile d'olive vierge et d'un tour de moulin à poivre. Saupoudrez du reste du basilic et de parmesan.

Farfalle aux artichauts, au parmesan, à l'ail et à la crème

Pour 4 personnes
4 fonds d'artichauts finement émincés (voir page 137)
2 cuillerées à soupe d'huile d'olive
1 gousse d'ail finement émincée
1 cuillerée à soupe de thym frais haché
Quelques gouttes de jus de citron
200 ml de crème épaisse
½ cuillerée à soupe de menthe fraîche hachée
150 g de parmesan râpé
Sel et poivre noir fraîchement moulu
455 g de farfalle (voir recette de base, page 47, et farafalle, page 78)

Préparez les artichauts (voir page 137). Coupez-les en deux puis émincez-les finement du fond vers le sommet. Faites chauffer l'huile d'olive dans une casserole à fond épais avec l'ail et le thym. Ajoutez les artichauts, et faites cuire lentement sans coloration pendant 5 minutes environ. Versez le jus de citron, laissez bouillir puis incorporez la crème fraîche, presque toute la menthe et faites mijoter 1 minute, puis sortez la casserole du feu. Ajoutez la moitié du parmesan. Assaisonnez avec le sel et le poivre.

Pendant ce temps, faites cuire les farfalle dans de l'eau bouillante et salée pendant 2 ou 3 minutes en les gardant légèrement fermes. Égouttez, mélangez-les bien chauds à la sauce et servez en assiette en parsemant le dessus du reste de menthe hachée et du parmesan.

Farfalle au pesto de cresson et de roquette

Pour 4 personnes
455 g de farfalle (voir la recette de base, page 47)

Pour le pesto au cresson et à la roquette
¼ de gousse d'ail hachée
1 botte de basilic frais, sans tige
150 g de roquette
120 g de feuilles de cresson
200 g de pignons de pin grillés
120 g de parmesan râpé
Huile d'olive extra-vierge
Quelques gouttes de jus de citron
Sel et poivre noir fraîchement moulu

Commencez par préparer le pesto. Pilez l'ail et le basilic dans un mortier avec le cresson et la roquette. Ajoutez les pignons de pin grillés et réduisez le tout en une pâte assez fine. Versez dans un saladier et ajoutez 100 g de parmesan. Travaillez le mélange un moment, versez de l'huile d'olive pour détendre la sauce jusqu'à obtenir la consistance d'une crème fraîche épaisse. Goûtez, salez, poivrez et finissez en incorporant le jus de citron.

Faites cuire les farfalle dans de l'eau bouillante et salée pendant 2 ou 3 minutes en les gardant légèrement fermes. Égouttez, mélangez-les bien chauds dans la sauce et servez en les saupoudrant de 2 cuillerées à soupe de parmesan râpé.

LES POISSONS ET LES FRUITS DE MER

Aile de raie au prosciutto, chicorée, câpres et citron

Assurez-vous de la fraîcheur de la raie et cuisinez-la le jour où vous l'achetez. Choisissez des ailes assez épaisses, d'au moins 340 g, car il y a beaucoup de cartilage dans ce poisson ; demandez au poissonnier de bien les parer.

Pour 4 personnes

4 x 340 g d'aile de raie
Sel et poivre noir fraîchement moulu
Un peu de farine
4 cuillerées à soupe d'huile d'olive vierge
5 noix de beurre
9 à 12 tranches de jambon sec italien, San Daniele, Parme
1 gousse d'ail finement hachée
1 tête de chicorée
2 cuillerées à soupe de câpres, rincées
Le jus de 2 citrons

Rincez les ailes de raie, épongez-les et assaisonnez avec le sel et le poivre. Farinez très légèrement la surface du poisson. Faites chauffer la poêle à feu vif avec l'huile et 4 noix de beurre, puis baissez l'intensité du feu. Couchez les ailes de raie dans la matière grasse et faites cuire chaque face pendant 2 minutes pour obtenir une belle couleur dorée. (Si tous les morceaux de raie ne tiennent pas dans la poêle, faites-les cuire au fur et à mesure avec, à chaque fois, 1 cuillerée à soupe d'huile et 1 noix de beurre. Entre chaque cuisson, essuyez la poêle avec du papier absorbant.) Placez ensuite les ailes de raie dans un plat à rôtir et finissez la cuisson au four chauffé à la température de 230 °C (thermostat 8) pendant 5 minutes. La chair doit juste commencer à se détacher des cartilages.

Découpez finement les tranches de jambon et les feuilles de chicorée. Dans une poêle, faites dorer les tranches de jambon, puis ajoutez l'ail, la chicorée et les câpres ; baissez l'intensité du feu et ajoutez 1 noix du beurre. Le jambon doit devenir croustillant et la chicorée se ramollir légèrement. Versez ensuite le jus de citron, vérifiez l'assaisonnement et versez le tout sur les ailes de raie.

Cabillaud poêlé au persil, câpres et beurre noisette

Voilà une recette simple et classique que vous réussirez très facilement. Pour la réaliser, il est important d'utiliser une poêle solide qui résiste bien aux fortes températures.

Pour 4 personnes
4 steaks de cabillaud de 225 g chacun, sans peau et sans arêtes
Sel et poivre noir fraîchement moulu
Un peu de farine
2 cuillerées à soupe d'huile d'olive
85 g de beurre
100 g de câpres, rincées dans de l'eau
1 botte de persil plat, sans tiges
2 citrons
Quelques pommes de terre
1 salade verte

Salez et poivrez les filets de cabillaud des deux côtés et farinez-les très légèrement. Faites chauffer la poêle à feu très vif et versez l'huile d'olive en la répartissant bien sur toute la surface de cuisson. Posez les steaks de cabillaud sur l'huile chaude et laissez cuire pendant environ 2 minutes en vérifiant que le poisson colore sans excès. Quand la première face est bien dorée, retournez le morceau et poursuivez la cuisson en baissant un peu l'intensité du feu. Après 3 minutes, le cabillaud devrait être à point. Sortez-le de la poêle et réservez-le au chaud.

Placez le beurre dans la poêle, faites le fondre, puis prendre une belle couleur dorée. Ajoutez les câpres et le persil. Remuez lentement et laissez cuire pendant 30 secondes pour que le beurre continue à blondir sans noircir. Pressez sur ce mélange le jus d'un citron et sortez-le du feu; la sauce va grésiller un moment. Nappez le poisson du jus de cuisson et de la garniture. Servez avec des quartiers de citron, des pommes de terre à l'eau et une belle salade verte.

NOTICE
DUFFER

Truite rôtie au thym

Je trouve que la truite est un poisson très agréable à consommer, surtout s'il est entier. Je me souviens des parties de pêche avec mon grand-père lorsque j'avais à peu près sept ans – nous attrapions des truites et retournions aussitôt à la maison pour les cuisiner. Rien ne ressemble à de la truite cuite nature, mais la recette de la truite au thym est vraiment une association des plus subtiles entre la saveur du thym et le goût assez corsé de la truite.

Dans les supermarchés, vous ne pourrez trouver que des truites d'élevage, qui ne sont pas si mauvaises et plutôt bon marché. Cependant, de nouveau produits apparaissent maintenant, comme la truite de mer. Les poissons sont placés dans des parcs en eau de mer où ils doivent se déplacer, nager contre les courants et se nourrir de ce qu'ils chassent : cela améliore grandement la qualité de la chair. Les supermarchés vendent également de beaux filets de truites sans arêtes, très faciles à préparer et parfaits pour la cuisine domestique. Le meilleur endroit pour acheter vos truites est, bien sûr, le poissonnier qui devrait toujours en avoir à disposition. L'autre alternative est d'aller à la pêche et d'attraper vos poissons vous-même !

Pour 4 personnes

4 truites (1 par personne), vidées et écaillées
1 botte de thym frais
Sel de mer et poivre noir fraîchement moulu
3 cuillerées à soupe d'huile d'olive
2 citrons
4 feuilles de laurier fraîches

Préchauffez le four à sa plus haute température. Lavez les truites à l'extérieur comme à l'intérieur, puis épongez-les avec du papier absorbant. Dans un mortier, écrasez soigneusement le thym avec le sel et l'huile d'olive (ou hachez le tout assez finement). Remplissez et enrobez les truites avec ce mélange. Coupez les citrons en deux, éliminez les extrémités pour qu'ils puissent tenir droit. Avec la pointe d'un couteau, faites une incision dans la pulpe et introduisez-y 1 feuille de laurier. Placez les truites et les feuilles de laurier sur la plaque à rôtir et faites cuire pendant environ 10 minutes. Pour vérifier la bonne cuisson des truites, essayez de décoller la chair des arêtes à l'endroit le plus épais des filets. Si vous y parvenez facilement, le poisson est cuit; si la chair ne se détache pas, poursuivez la cuisson pendant encore quelques minutes.

Au moment où les truites sont juste cuites, leur peau doit être bien croustillante. Les citrons rôtis prennent une saveur douce et un aspect brillant très appétissant.

Présentez les truites avec les citrons que vous pouvez laisser entiers ou les presser sur les poissons. Vous pouvez les servir avec des pommes de terre sautées et une salade verte bien craquante.

Rougets au four à l'origan, au citron et à la pâte d'olive noire

Le rouget est très abondant dans nos eaux et presque toujours disponible sur les étals. Vous pouvez le préparer entier ou demander à votre poissonnier de l'écailler, le fileter et d'enlever les arêtes. Je cuisine aussi cette recette avec du bar ou du saint-pierre. Elle est toute simple et fraîche avec un parfum délicat.

Pour 4 personnes
4 filets de rouget
1/2 gousse d'ail
Sel et poivre noir fraîchement moulu
1 botte d'origan frais sans tiges
2 cuillerées à soupe d'huile d'olive
Le jus d'1/2 citron
1 recette de purée de pommes de terre aux olives noires (voir page 141)
1 salade verte

Incisez légèrement les filets de rouget côté peau avec la pointe d'un couteau pour que la marinade puisse bien pénétrer. Dans un mortier, écrasez l'ail, puis ajoutez 1 cuillerée à café de sel et l'origan. Pilez le tout pour obtenir une pulpe fine et ajoutez progressivement l'huile d'olive et le jus de citron. Étalez cette préparation sur les filets; la quantité devrait suffire (les poissons ne doivent pas nager dans la marinade !). Disposez les filets sur une plaque à rôtir propre, côté peau vers le haut. Glissez la plaque en haut du four réglé à sa plus forte température et laissez rôtir 7 minutes environ (la cuisson en haut du four permet à la peau des rougets de devenir bien croustillante). Attention de ne pas trop cuire le poisson.

Servez avec un peu de purée de pommes de terre aux olives et une simple salade verte.

Thon piqué de coriandre et de basilic, sauté à la poêle

Le thon est un poisson que l'on trouve facilement dans les supermarchés ou à la poissonnerie. Il en existe plusieurs variétés : un des meilleurs est le thon rouge avec lequel on prépare les sushis et les sashimis. On peut trouver ce produit mais à des prix très élevés car il est très recherché par les restaurants japonais qui l'achètent à prix d'or. Il y a, heureusement, d'autres variétés que l'on trouve aisément et qui sont proposées à des prix raisonnables. Choisissez du thon dont la chair est uniformément rouge sombre, de grain séré et sans nerfs. En principe, on trouve le meilleur thon chez les poissonniers, mais les supermarchés ont aussi de bons produits, alors, ouvrez l'œil. Lorsque vous avez du thon bien frais de belle qualité, la dernière chose à faire est de le servir « à point » ou « bien cuit » comme du thon en boîte; il convient de le présenter rosé, voire bleu.

Pour 4 personnes
1 petit piment sec
1 cuillerée à soupe de coriandre en grains
½ gousse d'ail
1 botte de basilic, sans tiges et finement hachée
1 botte de coriandre, sans tiges et finement hachée
Sel et poivre noir fraîchement moulu
Le jus d'1 citron
4 steaks de thon de 225 à 285 g, chacun d'environ 2 cm d'épaisseur
Un peu d'huile

Écrasez le piment et les grains de coriandre dans le mortier. Ajoutez l'ail, le basilic, la coriandre et le jus de citron. Mélangez bien, salez et poivrez.

Posez les steaks de thon sur une plaque, salez et poivrez les deux faces et étalez le mélange d'herbes sur le poisson.

Il existe deux manières de cuire le thon; je préfère employer un gril ou une poêle. Étalez l'huile sur le fond de la poêle très chaude avec un petit morceau de papier absorbant, puis placez-y le poisson. Le but est de saisir rapidement les steaks pour les faire colorer (comptez 45 secondes par face).

Après cuisson, j'aime couper les steaks en deux et les servir avec de la salade ou des pommes de terre accompagnés de quartiers de citron. Vous pouvez aussi agrémenter cette recette de tomates séchées et marinées, des olives, du basilic... Les possibilités sont presque illimitées.

Le poisson en croûte de sel

Le poisson cuisiné au sel de mer se prépare vite et facilement. Il est parfait et succulent pour un repas convivial. Accommodé de cette manière, il garde toute son humidité naturelle, ses jus et la chair paraît très fondante. Contrairement à ce que l'on pense, il n'est pas du tout trop salé.

Je prépare toujours des poissons entiers, ce qui veut dire que vous pouvez facilement cuisiner un petit mulet ou un saint-pierre pour une ou deux personnes comme un gros saumon, un bar de belle taille pour un repas avec un nombre de convives important. Pour la cuisson au sel, mes poissons préférés sont le rouget, la daurade, le saumon, le turbot, la barbue et la truite. Demandez au poissonnier d'écailler et de vider les poissons ; il ne vous restera plus qu'à farcir l'intérieur avec des herbes parfumées et des tranches de citron. Choisissez vos herbes – basilic, persil plat, tiges vertes de fenouil, aneth, coriandre ou laurier. Optez pour un plat de cuisson d'une taille appropriée à celle du poisson et couvrez-le d'une feuille de papier d'aluminium dépassant d'environ 15 cm de chaque côté pour pouvoir manipuler l'ensemble plus facilement après cuisson. Étalez au moins 2 cm de gros sel de mer au fond – vous pouvez acheter le sel par kilo, en sac, dans les supermarchés (prenez du gros sel, surtout pas moulu). Placez le poisson farci sur le sel. Pour utiliser moins de sel, donnez au papier d'aluminium la forme approximative du poisson à cuire, puis recouvrez-le complètement d'une couche de sel d'environ 2 cm. Humectez la surface de quelques gouttes d'eau pour que la croûte se forme pendant la cuisson. Faites cuire au milieu du four à haute température (thermostat 9) en comptant 12 minutes par livre.

Si vous préparez un saumon sauvage, vous aurez sans doute envie de le tenir très légèrement sous-cuit pour apprécier toute la délicatesse de son goût naturel. Enlevez alors 2 minutes de cuisson par livre (le saumon est le seul poisson que je cuirais de la sorte).

Après la cuisson, laissez reposer 15 minutes (le poisson continue à cuire un moment par inertie), puis brisez la croûte et enlevez le sel, faites attention de ne pas percer la peau, car la chair pourrait alors prendre un goût salé. Après avoir présenté aux convives l'appétissant poisson tout fumant, placez-le simplement au centre de la table avec du pain frais, une belle salade, des pommes de terre et une ou deux sauces d'accompagnement.

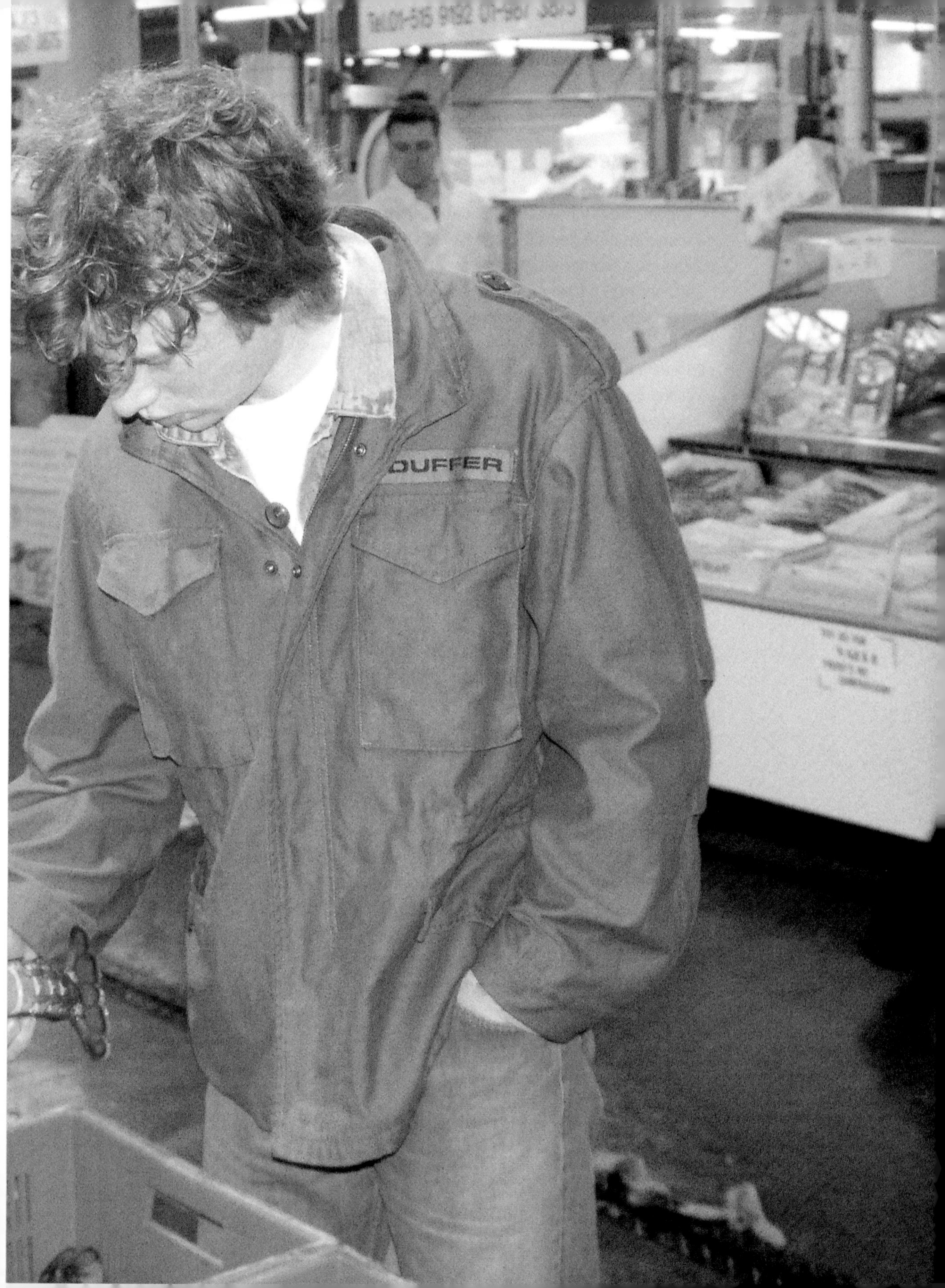
DUFFER

LES VIANDES ET LES VOLAILLES

Côtes de porc au thym, au citron et au pesto

Des côtes de porc classiques conviennent parfaitement à cette recette, mais lorsque je prépare ce plat je demande à mon boucher de les couper deux fois plus épaisses, d'enlever le gras et de les aplatir très légèrement – ça, ce sont des côtes de porc dignes de ce nom ! Un bon boucher vous préparera cette découpe sans problème. Les côtes se cuisent certainement le mieux sur un gril, mais vous pouvez aussi les poêler ou les faire rôtir.

Pour 4 personnes
1 petite botte de thym frais sans les tiges
Sel et poivre noir fraîchement moulu
1 gousse d'ail
Le zeste et le jus d'1 citron
1 cuillerée à soupe d'huile d'olive
4 côtes de porc, doubles ou simples
1 fois la recette du pesto (voir à la page 232)

Avec un pilon et un mortier, pilez (ou hachez très finement) le thym avec l'ail et 1 cuillerée à café de sel. Ajoutez le quart d'une cuillerée à café de poivre noir. Incorporez le zeste, le jus du citron et l'huile d'olive. Versez cette préparation sur les côtes et laissez mariner pendant 15 minutes.

Posez les côtes sur un gril bien chaud ou dans une poêle (elles vont sûrement fumer, alors, si vous avez la chance d'en posséder une, mettez la hotte aspirante en marche !). Essayez de bien faire colorer les deux faces, mais sans laisser noircir, baissez, le cas échéant, l'intensité du feu. Le temps de cuisson est d'environ 8 minutes à température assez vive. Ne faites pas trop cuire le porc, cela n'est pas justifié et rendra la viande très sèche. Laissez reposer les côtes quelques instants, puis nappez-les de pesto.

Vous pouvez servir avec une salade mélangée, une purée de pomme de terre ou des pommes en robe des champs saupoudrées de fleur de sel, passées à l'huile d'olive et au four.

Rôti de porc et sa couenne grillée

Si vous avez un bon boucher, demandez-lui un beau morceau de porc dans la longe – la forme régulière de ce morceau facilite sa cuisson. Demandez-lui de laisser la peau, d'enlever les os le cas échéant. Incisez le rôti d'entailles assez rapprochées de 5 mm d'épaisseur. Faites concasser les os pour la préparation de la sauce.

Pour 8 personnes
3 kg de longe de porc (avec os)
Sel de mer
2 cuillerées à café de romarin
½ cuillerée à soupe de grains de fenouil
5 gousses d'ail
8 cuillerées à soupe de vinaigre balsamique
4 feuilles de laurier
2 cuillerées à soupe d'huile d'olive
Les os de porc concassés
5 branches de céleri grossièrement hachées
1 belle carotte grossièrement hachée
1 gros oignon grossièrement haché

Placez le rôti de porc sur le plan de travail, salez-le et parsemez-le d'1 cuillerée à café de romarin. Faites pénétrer cet assaisonnement dans les incisions. Avec un mortier et un pilon, écrasez les grains de fenouil, puis l'ail et le reste de romarin. Étalez cette préparation sur le côté viande du rôti (non du côté peau, car elle brûlerait pendant la cuisson). Posez le rôti sur une plaque et recouvrez-le de vinaigre balsamique, de laurier et d'huile d'olive. Laissez mariner 30 minutes.

Pendant ce temps, préchauffez le four haute température (thermostat 9) et faites colorer les os et les légumes dans un plat. Par ailleurs, resalez la peau du rôti, cela l'aidera à colorer et à « souffler ». Placez le porc sur une grille en haut du four, au-dessus des os. Ajoutez dans ces derniers le vinaigre balsamique ayant servi à faire mariner la viande et 570 ml d'eau. Pendant la cuisson de la viande, tout le jus va s'écouler dans le plat pour former votre sauce. Le gril dessinera également de belles marques de cuisson sur le rôti. Sa cuisson va durer 1 heure environ. Au bout de 20 minutes, baissez la température à 220 °C (thermostat 7). Lorsque le porc est cuit, sortez-le du four sur sa grille puis posez-le sur du papier d'aluminium pour garder le jus.

Le gigot d'agneau rôti

Un gigot d'agneau (d'environ 2 kg) est toujours un vrai plaisir et j'aime essayer de nouveaux assaisonnements pour en relever le merveilleux parfum. Voici quelques-uns de mes trucs pour donner un petit plus à vos rôtis. Dans l'ensemble, l'agneau est bon tout au long de l'année mais, à mon avis, c'est au mois de mai, alors que la viande a eu le temps de développer ses arômes, qu'il est le plus savoureux, le plus tendre et, qu'en fait, il possède le goût que l'agneau devrait toujours avoir.

Un gigot d'agneau devrait être souple au toucher et conserver l'empreinte du doigt quelques instants si vous le pressez avec le pouce. La peau doit être sèche, mais ne pas se décoller ou se craqueler. Demandez à votre boucher d'enlever l'os du quasi pour que la cuisson et la découpe soient plus faciles.

Les temps de cuisson

Rosé : 10 minutes par livre
À point : 14 minutes par livre
Bien cuit : 20 minutes par livre

N'omettez jamais de laisser le gigot rôti reposer au moins 20 minutes avant de le découper.

Le gigot d'agneau rôti aux anchois et au romarin

1 gigot d'agneau
½ citron
1 botte de romarin grossièrement hachée
10 filets d'anchois à l'huile
Sel et poivre noir fraîchement moulu
Huile d'olive

Avec un couteau bien coupant, percez le gigot environ dix fois sur 5 cm de profondeur, enfoncez légèrement votre doigt dans ces entailles pour les agrandir. Citronnez toute la surface de la viande et faites pénétrer le romarin dans la chair. Placez 1 filet d'anchois dans chaque entaille. Assaisonnez le gigot avec le sel et le poivre. Versez un peu d'huile sur une plaque à rôtir assez épaisse et posez-y la viande. Rôtissez dans un four préchauffé à 225 °C (thermostat 7/8). Retournez le gigot après 30 minutes de cuisson.

Souris d'agneau mijotée aux épices

Cuisinée de cette façon, la souris donne une sauce pleine de goût et sa viande, attendrie, se détache de l'os. Servie avec une purée de pommes de terre, de la polenta, du couscous ou du riz, cette recette est splendide.

Pour 4 personnes
4 souris d'agneau
Sel de mer et poivre noir fraîchement moulu
1 cuillerée à café de graines de coriandre
1 petit piment séché (ou 2 cuillerées à café de piment frais haché)
1 cuillerée à café de romarin frais
1 cuillerée à café de marjolaine ou d'origan frais
1 cuillerée à soupe de farine
1 cuillerée à soupe d'huile d'olive
1 gousse d'ail finement hachée
1 belle carotte coupée en quartiers et finement émincée
6 branches de céleri coupées en quartiers et finement émincées
2 oignons moyens finement hachés
1 cuillerée à soupe de vinaigre balsamique
17 cl de vin blanc
6 filets d'anchois
800 g de tomates pelées
1 botte de basilic frais, de marjolaine ou de persil plat grossièrement hachés

Assaisonnez la viande avec le sel de mer et le poivre noir fraîchement moulu. Écrasez les graines de coriandre avec le piment puis mélangez avec la marjolaine et le romarin. En pressant bien, roulez les souris d'agneau dans ce mélange pour les paner complètement. Farinez-les légèrement. Faites chauffer une cocotte à fond épais, versez l'huile puis colorez la viande sur toutes ses faces. Sortez du feu les souris bien dorées, ajoutez l'ail, la carotte, le céleri, les oignons, 1 pincée de sel et laissez suer ainsi pendant 5 minutes en remuant. Déglacez avec le vinaigre balsamique et laissez réduire quelques secondes. Versez le vin blanc, les anchois (je trouve qu'ils soulignent très agréablement le goût de l'agneau) et les tomates en boîte entières.

Réincorporez les souris à la sauce. Portez à ébullition, couvrez et faites mijoter au four (180 °C, thermostat 6) ou sur feu doux pendant 1 h 30 ; puis ôtez le couvercle et faites cuire encore 30 minutes. Dégraissez la sauce et vérifiez l'assaisonnement. Pour finir, incorporez le basilic, la marjolaine ou le persil plat grossièrement hachés.

LAMB
Randalls
LIME AND ROASTED GARLIC OIL

PORK

Mon parfait poulet rôti

Ma méthode, malgré sa simplicité, est sans doute la meilleure et change vraiment de tout ce que l'on connaît habituellement du simple poulet rôti. En principe, je décolle délicatement la peau qui recouvre les filets pour garnir l'espace ainsi créé de délicates herbes aromatiques comme le persil, le basilic et la marjolaine. Je bride ensuite la volaille pour la faire rôtir au four avec de l'huile d'olive et du sel.

Pour 4 personnes

1 poulet fermier de 1,5 kg environ
Sel et poivre noir fraîchement moulu
5 cuillerées à soupe d'herbes fraîches (basilic, persil et marjolaine), sans tiges et finement hachées
4 cuillerées à soupe d'huile d'olive
1 citron coupé en deux
4 feuilles de laurier
2 brins de romarin frais

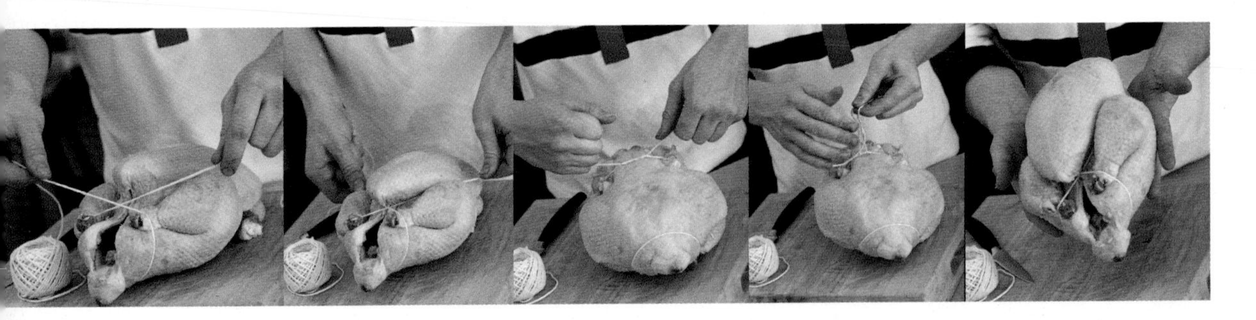

Préchauffez le four avec la plaque de cuisson à 225 °C (thermostat 7). Salez l'intérieur du poulet. Décollez la peau qui recouvre les filets en glissant peu à peu vos doigts entre la chair et la peau en essayant de ne pas la déchirer. Elle reste généralement attachée par le milieu de la poitrine, mais vous pouvez aussi la détacher. En opérant de la sorte, vous créez l'espace dans lequel vous glisserez les herbes. Pour une découpe plus facile, vous pouvez aussi éliminer le bréchet. Salez et poivrez la chair des filets et poussez à l'intérieur le mélange d'herbes hachées. Huilez toute la surface du poulet. En principe, je ne farcis pas mes poulets rôtis, mais il m'arrive de le faire avec des citrons, du laurier et du romarin que j'introduis dans la cavité abdominale à ce stade de la préparation.

Tirez bien la peau de la poitrine en avant pour que toute la chair éventuellement mise à nu soit recouverte. Coincez les ailerons par-dessous puis bridez assez fermement.

Pour être parfait, le poulet rôti doit avoir des filets tendres, moelleux, une peau croustillante et des cuisses parfaitement cuites. Pour obtenir un tel résultat, entaillez horizontalement trois ou quatre fois les cuisses sur 1 cm d'épaisseur environ. Faites ensuite pénétrer le reste des herbes hachées. De cette manière, la chaleur pénètre plus facilement et donne une cuisson beaucoup plus homogène. Salez, poivrez et huilez à nouveau toute la peau du poulet. Sortez la plaque brûlante du four et versez-y un peu d'huile. Posez le poulet filets vers le bas. Enfournez, laissez cuire 5 minutes puis retournez-le. Faites cuire ainsi 5 autres minutes, puis retournez la volaille, poitrine vers le haut. Comptez 1 heure de cuisson à 225 °C (thermostat 7).

Vous pouvez faire cuire des pommes de terre en même temps que votre poulet en vous servant de la graisse qui s'écoule naturellement. La peau doit être très croustillante et la chair sera agréablement parfumée par les herbes.

Poulet parfumé au curry vert

C'est mon beau-frère qui m'a demandé un jour de réaliser ce plat qu'il avait déjà goûté dans un restaurant thaïlandais. J'ai consulté un grand nombre de recettes et toutes semblaient différentes. Je me suis donc servi d'une base à laquelle j'ai ajouté des herbes fraîches, pour obtenir le maximum de goût. Si vous êtes végétarien, vous pouvez très bien remplacer le poulet par les légumes de votre choix.

Pour 4 personnes
4 filets de poulet sans peau ni os, coupés chacun en 5 gros morceaux
1 boîte de 40 cl de lait de coco
100 g de pistaches hachées

Pour la pâte de curry vert
6 oignons nouveaux, lavés et parés
4 ou 6 piments moyens sans pépins et finement hachés
2 gousses d'ail
1 cuillerée à soupe de racine de gingembre, pelée et finement hachée
1 cuillerée à soupe de graines de coriandre, finement pilées
Sel de mer et poivre noir fraîchement moulu
2 tiges de citronnelle, nettoyées et finement hachées
1 botte de basilic avec les tiges

1 botte de coriandre fraîche avec les tiges
3 cuillerées à soupe d'huile d'olive vierge
Les zestes et le jus de 4 citrons verts

Placez tous les ingrédients de la pâte de curry vert dans un mixer et réduisez-les en une fine purée. Faites mariner le poulet dans 1/4 de la pâte de curry vert pendant 30 minutes. Placez une casserole à fond épais sur feu moyen avec un peu d'huile d'olive et mettez-y les morceaux de viande à dorer pendant 4 minutes. Ajoutez ensuite le reste du curry vert et le lait de coco. Portez à ébullition et laissez mijoter lentement pendant 8 minutes. Salez et poivrez. Le goût doit être assez marqué mais sans agressivité. Ajoutez ensuite les pistaches et les feuilles de coriandre. Servez avec du riz blanc ou des nouilles, et accompagnez le tout de la sauce à la noix de coco, tomate, concombre et citron vert (voir page 236).

Succulent canard rôti au miel et à la sauce aux huîtres

Il existe beaucoup de recettes de canard mais en voici une qui donne de superbes résultats et que l'on peut ensuite servir de multiples manières. Vous pouvez rôtir le canard et le servir entier avec des légumes rôtis eux aussi et une sauce (voir ci-dessous). Vous pouvez aussi désosser et découper le canard comme dans les restaurants chinois et le servir avec des oignons nouveaux, du concombre, des petites galettes chinoises et de la sauce aux prunes. Vous pouvez, enfin, le déguster froid, le jour suivant avec une salade. Ce qui compte vraiment, c'est que la peau soit très croustillante.

Pour 4 personnes

4 bonnes cuillerées à soupe de miel parfumé
8 cuillerées à soupe de sauce aux huîtres (épiceries asiatiques)
2 canards de 700 g à 900 g chacun
2 branches de céleri, finement émincées
4 oignons nouveaux, grossièrement hachés
6 gousses d'ail, pelées et écrasées
4 feuilles de laurier
1 botte de coriandre et de basilic, sans les tiges
1 piment rouge moyen, finement émincé
Sel et poivre noir fraîchement moulu

Préchauffez le four à 225 °C (thermostat 7). Préparez la sauce en faisant chauffer quelques instants le miel et la sauce aux huîtres dans une casserole. Préparez ensuite les canards en éliminant toute la graisse qui se trouve dans la cavité abdominale. Placez tous les légumes, l'ail, les herbes, le piment, 2 pincées de sel et du poivre dans un saladier et mélangez bien.

Farcissez les volailles de cette préparation. Placez les canards sur une grille au-dessus de la plaque (plutôt que directement sur la plaque). Versez 1/2 litre d'eau bouillante. Couvrez ensuite l'ensemble avec une grande feuille de papier d'aluminium et laissez rôtir 1 heure. Cette méthode aura pour effet de cuire le canard à la vapeur et de laisser la graisse s'écouler. À la fin de la cuisson, sortez les canards et enlevez le papier d'aluminium en faisant attention de ne pas vous brûler. À ce moment, avec le dos d'un couteau grattez délicatement la peau des canards. Vous verrez qu'en faisant de la sorte, la graisse s'écoule facilement et quitte la volaille. Laissez-la tomber sur la plaque et se mélanger à l'eau. Versez ensuite tout le liquide dans un bol où la graisse et le jus vont se séparer. Utilisez la graisse pour rôtir les pommes de terre et le jus qui se trouve au fond pour préparer la sauce un peu plus tard (voir ci-dessous). Étalez la sauce au miel sur la peau des deux canards qui va cuire en donnant un goût exquis et une couleur dorée très appétissante.

Placez à nouveau les canards dans le four ; pour que la peau ne brûle pas, retournez-les souvent. (Si la volaille colore trop vite, couvrez-la d'une feuille de papier d'aluminium et baissez l'intensité du feu.) Repassez une autre couche de sauce au miel après 10 minutes de cuisson et laissez encore colorer pendant 30 minutes environ. Sortez ensuite les canards du four : leur viande doit être tendre et rosée ; la peau fine et croustillante presque sans graisse. Réservez au chaud pendant que vous préparez la sauce.

La sauce

Éliminez la graisse se trouvant en surface et versez tout le contenu de la plaque à rôtir dans une casserole. Laissez réduire lentement afin que le liquide prenne la consistance d'un sirop. Ajoutez aussi le jus s'écoulant des canards. (Si vous le souhaitez, vous pouvez aussi ajouter un verre de bon vin blanc doux préalablement porté à ébullition pendant 1 minute). Mélangez et laissez cuire un moment en vous assurant que tous les sucs de cuisson sont bien dissous. Écumez et dégraissez soigneusement. Assaisonnez si nécessaire et servez bien chaud.

Pintade rôtie en cocotte à la sauge, au céleri et aux oranges sanguines

Voici encore une délicieuse recette. La pintade cuit lentement dans une cocotte où elle est braisée et rôtie en même temps. Le beurre, utilisé pour arroser la volaille se marie superbement avec la sauge et l'ail. La saveur fraîche et pénétrante de l'orange sanguine, le thym et le céleri avec lesquels est farcie la pintade, cuisent à l'intérieur et parfument toute la viande. Cette excellente garniture aromatique peut aussi être ajoutée à la sauce (voir page 128).

Pour 4 à 6 personnes
2 pintades de 900 g chacune
8 oranges sanguines
1 pied de céleri
1 petite botte de thym sans tiges
Sel de mer et poivre noir fraîchement moulu
1 cuillerée à soupe d'huile d'olive
6 gousses d'ail en chemise
85 g de beurre
10 feuilles de sauge
2,5 verres de vin blanc sec fruité

Éliminez toute la graisse se trouvant à l'intérieur de la cavité abdominale des volailles et salez. Coupez les deux extrémités des oranges pour qu'elles puissent tenir droites. Pelez-les complètement (après avoir enlevé une partie de la peau, il est plus facile de voir où commence la chair). Coupez ensuite chaque orange en 5 ou 6 tranches. Éliminez toutes les branches extérieures du pied de céleri qui vous paraissent trop dures pour ne garder que le cœur. Émincez-le finement. Placez le céleri dans un saladier, ajoutez le thym, les oranges et une pincée de sel. Mélangez et farcissez les pintades de cette préparation. Tirez bien la peau des volailles pour boucher la cavité abdominale et éviter que la farce ne s'échappe. Bridez assez serré. Faites chauffer une cocotte à fond épais allant au four avec de l'huile d'olive et laissez dorer la volaille sur toutes ses faces pendant environ 20 minutes. Ajoutez ensuite le beurre, l'ail et la sauge que vous laisserez colorer 3 minutes environ. Versez le vin blanc de temps à autre de manière à ce que la cocotte contienne toujours un peu de jus. Enfournez à 225 °C (thermostat 7) et faites cuire ainsi pendant 45 minutes, en versant toujours du vin blanc tous les quarts d'heure. De cette manière, les pintades rôtiront et cuiront à la vapeur en même temps.

Jambon à la purée de pois cassés

La recette du jambon aux pois cassés me rappelle ma grand-mère qui me préparait souvent ce plat lorsque j'étais petit. Il est absolument délicieux, servi avec une purée de pois et de la moutarde anglaise. Vous trouverez du jambon cru de qualité dans une charcuterie. Pensez à le commander à l'avance. Je prends toujours du jambon non fumé pour cette recette car son goût est équilibré et ne domine pas les autres saveurs. N'oubliez pas de faire tremper les pois cassés la veille dans de l'eau froide.

Pour 6 à 8 personnes

1 jambon saumuré cru de 1,4 à 1,8 kg

Le bouillon

2 feuilles de laurier

3 clous de girofle

5 grains de poivre noir

2 oignons moyens, grossièrement hachés

3 carottes moyennes, grossièrement hachées

5 branches de céleri, grossièrement hachées

La purée de pois cassés
(voir recette, page 161)

Les légumes

12 petites carottes entières

1 pied de céleri, sans les tiges extérieures, lavé

12 petits poireaux, lavés et entiers

Vérifiez le poids du jambon cru. Le temps de cuisson sera de 25 minutes par livre plus 25 minutes. Laissez tremper le jambon dans de l'eau froide pendant 3 ou 4 heures pour éliminer le sel en trop ; vous pouvez aussi le plonger dans une bonne quantité d'eau froide, porter le tout à ébullition et jeter cette première eau.

Couvrez la pièce de viande avec de l'eau froide et tous les ingrédients du bouillon, plus ceux de la purée de pois cassés enfermés dans une gaze. Portez lentement à ébullition, écumez, dégraissez la surface puis couvrez. Calculez le temps de cuisson et laissez mijoter. Environ 30 minutes avant la fin de la cuisson, ajoutez les légumes entiers dans le bouillon. Lorsque la cuisson de la viande, des pois cassés, et des légumes est arrivée à son terme, sortez-les du bouillon. Hachez grossièrement les carottes et le céleri et réservez. Éliminez la couenne et la graisse du jambon. Retirez les pois cassés du tissu de cuisson et réduisez-les en purée avec le beurre et le poivre.

Vous pouvez utiliser le bouillon de cuisson comme base de sauce pour accompagner le jambon. Servez la viande avec 1 bonne cuillerée de purée de pois, les légumes et la moutarde. Congelez le bouillon de cuisson non utilisé : il est parfait pour préparer le minestrone (voir page 17).

LA VIANDE HACHÉE

J'utilise beaucoup de viande hachée à la maison : le plus souvent pour préparer des boulettes ou des hamburgers. Je choisis un morceau qui convient bien à ce type de recette (demandez conseil à votre boucher). Hachez la viande vous-même au couteau ou à l'aide d'un appareil électrique. L'intérêt de hacher la viande soi-même est de savoir exactement ce qu'elle contient, ce qui est un gage de sécurité, en particulier si la cuisson doit être saignante ou rosée. L'alternative est de choisir un morceau de viande et de demander au boucher de le hacher devant vous. N'utilisez pas de viandes trop maigres car tous les hachis (et les saucisses en particulier) nécessitent une certaine proportion de gras pour ne pas être trop secs après la cuisson.

Boulettes de viande

Pour 4 à 6 personnes
900 g de viande à hacher ou déjà hachée
2 tranches de pain rassis
2 cuillerées à soupe d'origan sec
1/2 cuillerée à café de graines de cumin, pilées
1/2 petit piment rouge, pilé
1 cuillerée à soupe de romarin, finement haché
1 jaune d'œuf
Sel et poivre noir fraîchement moulu
4 cuillerées à soupe d'huile d'olive
1 recette de sauce tomate (voir page 237)
1 botte de basilic sans tiges, légèrement hachée
60 g de mozzarella
60 g de parmesan râpé

Les légumes cuits
1 oignon finement haché
1 gousse d'ail
1 cuillerée à soupe d'huile d'olive
1 cuillerée à soupe rase de moutarde de Dijon

Si vous avez acheté un morceau de viande entier, passez-le dans votre hachoir, puis récupérez la viande hachée dans un saladier. Utilisez aussi le hachoir pour les tranches de pain et transformez-les en une chapelure grossière. Ajoutez à la viande l'origan sec, la chapelure, le jaune d'œuf, le romarin, le cumin et le piment. Assaisonnez avec le poivre et 2 cuillerées à café rases de sel fin. À ce stade de la recette, ajoutez les légumes cuits (faites-les cuire 15 minutes à feu moyen sans les laisser colorer).
Mélangez bien. Après avoir mouillé vos mains, formez les boulettes de la taille que vous souhaitez. (Vous pouvez les faire cuire immédiatement ou les conserver 24 heures au réfrigérateur sur une plaque couverte de film alimentaire). Faites chauffer une sauteuse à feu vif avec 3 ou 4 cuillerées à soupe d'huile d'olive bien réparties sur tout le fond. Posez les boulettes et faites-les frire sur toutes leurs faces pour les colorer en faisant attention de ne pas les briser. Baissez l'intensité du feu et versez la sauce tomate. Mettez dans un plat à four, ajoutez le basilic, la mozzarella coupée en petits cubes et le parmesan râpé. Faites cuire le tout au four à 200 °C (thermostat 6) pendant 15 ou 20 minutes pour colorer légèrement la surface.

LES LÉGUMES

Artichauts mijotés
aux tomates cerises, thym et basilic

La révolution des légumes est en marche ! Nos parents ont été élevés dans les années de l'après-guerre, période au cours de laquelle les légumes étaient rares. Ils sont, par conséquent, habitués à utiliser un nombre relativement limité d'ingrédients et passent ainsi à côté de bien des plaisirs culinaires. En raison de la concurrence qui existe entre les différentes enseignes de la grande distribution et de l'intérêt croissant du public pour son alimentation, le choix et la qualité des légumes se sont beaucoup améliorés, et ce n'est qu'un début. De nos jours, on trouve dans n'importe quel supermarché plusieurs variétés de tomates ou de champignons, sans compter les légumes exotiques. Les légumes verts et les salades sont de bonne qualité, même si je les trouve parfois un peu chers.

Je ne pense pas que les supermarchés exploitent suffisamment les productions locales. S'ils le faisaient, la fraîcheur et la qualité de leurs produits seraient meilleures (mais le prix certainement plus élevé !).

Légumes chinois sautés au gingembre, sauce aux huîtres et sauce soja

Pour cette recette, je prends tous les légumes chinois sur lesquels je peux tomber. C'est délicieux et préparé en un instant.

Pour 4 à 6 personnes

400 g de légumes chinois (choux chinois, pak choy) ou brocoli et petits épinards
3 cuillerées à soupe d'huile de noix
1 cuillerée à soupe d'huile de sésame
½ cuillerée à café de gingembre frais finement émincé
4 oignons nouveaux
2 cuillerées à soupe de sauce aux huîtres
1 cuillerée à café de sauce soja
2 pincées de sucre
1 jus de citron
Sel et poivre noir fraîchement moulu

Éliminez les tiges et feuilles flétries des épinards. Séparez-les des autres légumes pour pouvoir les faire cuire au dernier moment. Préparez les autres légumes chinois. En principe, je coupe le chou en lanières et le pak choy en quartiers. Plongez ces légumes dans de l'eau bouillante salée pendant 1 minute environ pour les attendrir, puis égouttez-les.

Assemblez le gingembre et les huiles dans un grand wok bien chaud ou dans un autre récipient de cuisson et laissez frire en remuant pendant 20 secondes. Ajoutez les oignons nouveaux finement ciselés et tous les autres ingrédients sauf les sauces et les épinards. Mélangez, incorporez enfin les épinards et les assaisonnements. Mélangez bien afin de répartir la sauce. Les légumes vont grésiller et frire. En réduisant, la sauce aux huîtres épaissit et enrobe les légumes. À ce moment, salez, poivrez et laissez cuire pendant 1 minute supplémentaire. Servez aussitôt.

Courge musquée (ou giraumont) épicée et rôtie

Pour 6 personnes

1 courge musquée d'1,5 kg environ
2 cuillerées à soupe de grains de coriandre
2 cuillerées à café d'origan sec
½ cuillerée à café de graines de fenouil
2 petits piments rouges séchés
1 cuillerée à café de sel
1 cuillerée à café de poivre noir fraîchement moulu
1 gousse d'ail émincée
1 cuillerée à soupe d'huile d'olive

Lavez la courge et séparez-la en deux avec un couteau bien affûté (pour plus de stabilité et de sécurité, coupez l'une des extrémités du légume pour créer une assise).

Avec une grosse cuillère, enlevez toutes les graines (vous pouvez les faire rôtir avec une goutte d'huile et du sel de mer pour les servir avec l'apéritif comme des cacahuètes ; c'est délicieux). Recoupez la courge dans la longueur pour faire des quartiers et recoupez ces derniers en deux pour obtenir des morceaux en forme de bateau d'environ 2,5 cm d'épaisseur. Disposez-les dans un saladier.

Placez toutes les herbes fraîches et les épices dans un mortier et pilez-les avec le sel et le poivre pour obtenir une fine poudre. Ajoutez ensuite l'ail. Versez le tout sur les quartiers de courge avec l'huile d'olive et mélangez de manière à ce que tous les morceaux soient bien recouverts d'assaisonnement.

Posez les courges (peau vers le bas) sur une plaque à rôtir. Faites-les cuire à 200 °C (thermostat 6) pendant environ 30 minutes (la chair doit être bien tendre). Les épices vont parfumer le légume et la chaleur le rendre doré et croustillant. La peau va caraméliser et prendre une texture très agréable.

Je me sers de cette recette en de nombreuses occasions. Elle peut être la base d'une farce pour ravioli, du pain fantaisie ; elle agrémente les risottos et se sert aussi en légume d'accompagnement. Lorsque je l'ai préparé la première fois pour ma mère, elle n'était pas vraiment séduite par cette idée, mais en goûtant, elle trouva la saveur des épices délicieuse. À présent, nous cuisinons souvent cette recette pour nous, à la maison. Essayez-la, elle est facile, bon marché et succulente.

William HILL

en land
BROCULI
I
LiNGO

Oignons rouges rôtis au beurre et au thym

Pour 6 personnes

Essayez de trouver 6 oignons rouges de taille moyenne à peu près identiques. Avec un couteau, éliminez le sommet et la base (où se trouvent les racines) pour donner une assise au légume. Sur le sommet, faites deux entailles en forme de croix de 3 cm de profondeur environ (attention de ne pas séparer les oignons en quartiers). Saupoudrez les incisions de thym pilé ou haché et d'1 bonne pincée de sel (il faut que le sel pénètre bien dans les légumes). Placez 1 noix de beurre sur chaque oignon. Je préfère les faire cuire dans un plat en terre sur une fine couche de sel de mer ou directement sur la plaque du four avec un poulet ou un rôti d'agneau. Enfournez à 200 °C (thermostat 6) pendant 30 à 35 minutes.

Ces oignons, parfumés et doux, font merveille avec un rôti.

Tempura de légumes

La pâte à tempura est toujours utile et très facile à faire. Vous pouvez l'employer avec à peu près tous les légumes pour peu qu'ils soient coupés assez petits. En effet, ils doivent cuire et s'attendrir en même temps que la pâte devient dorée et craquante. Une bonne tempura doit être croustillante et, pour apprécier cette consistance, il faut la déguster sitôt cuite. Vous pouvez la servir en entrée avec du gros sel, des quartiers de citron vert et, éventuellement, une ou deux petites sauces. Les légumes frits en tempura peuvent aussi faire de délicieux légumes d'accompagnement pour du poisson, de la viande ou de la salade.

Pour 4 personnes
200 g de farine nature
100 g de farine de maïs
De l'eau gazeuse glacée
Légumes (voir ci-dessous)

Placez les deux farines dans un saladier. Avec le manche d'une cuillère ou une baguette chinoise, mélangez avec l'eau glacée. La consistance de la pâte doit être plus épaisse que celle de la crème fraîche. Mélangez très consciencieusement pour éviter les grumeaux, très fréquents dans cette pâte.

Plongez les légumes dans la pâte et secouez-les délicatement pour ne garder que la bonne quantité. (Préparez courgettes, oignons, aubergines, carottes, patates douces, haricots verts fins, brocolis, champignons sauvages, herbes fines, pak choy et légumes chinois – ce sont les légumes les plus utilisés mais vous pouvez en essayer d'autres.)

Faites cuire les légumes dans une friture à 200 °C. Vous pouvez utiliser un wok ou une grande poêle si vous n'avez rien d'autre. La quantité d'huile nécessaire pour la cuisson est de 7 cm. Les beignets doivent être bien dorés et très croustillants. Attention aux brûlures lorsque vous manipulez de l'huile très chaude : travaillez seul(e) et ne laissez jamais votre friteuse sans surveillance. Remuez les légumes de temps en temps pour qu'ils soient bien dorés, puis retirez-les avec une écumoire en laissant s'égoutter l'huile. Épongez les beignets sur du papier absorbant et servez-les aussitôt. Il est important de déguster rapidement la tempura car, en refroidissant, les légumes laissent échapper une abondante vapeur d'eau qui ramollit très rapidement la pâte : celle-ci perd alors tout son craquant pour devenir sans intérêt.

LES LÉGUMINEUSES

LA FAIM DES HARICOTS !

En raison de leurs grandes qualités culinaires et nutritionnelles, les haricots et les légumes secs suscitent de plus en plus d'intérêt. Ils sont bon marché et faciles à préparer; de plus, le choix et la qualité ne cessent de s'améliorer. L'exigence des consommateurs explique cette tendance positive et les produits de second choix sont de plus en plus rares.

Le principe de faire sécher les haricots écossés remonte à plusieurs centaines d'années. L'idée était de pouvoir prolonger leur conservation et de les consommer bien après la période de récolte; et il en est ainsi de nos jours. Les seuls critères de qualité pour un bon produit sont : la nature du sol, l'état de mûrissement et le temps de séchage qui doit être le plus court possible. Les haricots secs doivent être propres, sans pierres et bien brillants. Les signes pour reconnaître des haricots secs trop vieux sont les craquelures ou une peau fripée. La plupart des variétés se conservent plus d'un an; passé ce délai, elles sont difficiles à réhydrater et ont tendance à rester croquantes, même après cuisson. Au River Café, dès que les haricots frais de qualité commencent à arriver (plutôt en fin de saison), Rose et Ruth choisissent leurs produits en fonction des échantillons que leur proposent les différents fournisseurs. À mon sens, des haricots secs de bonne qualité sont aussi bons que des frais. On peut les préparer de mille manières : ils sont délicieux en ragoût, en soupe, en cassolette ou en simple légume d'accompagnement.

Comment cuire les haricots secs ?

Il faut penser, avant d'aller au lit, à simplement jeter un bon bol de haricots lavés dans de l'eau froide et à les y laisser toute la nuit. Ce trempage raccourcit le temps de cuisson et évite que les haricots ne se séparent en deux. Les haricots secs, les flageolets, les cocos, les haricots noirs, les pois chiches et les pois cassés doivent tous être trempés de cette manière. Triez-les auparavant pour enlever tous les sujets douteux ou abîmés. Je ne trempe pas les lentilles, cependant, car elles cuisent assez rapidement.

Le temps de cuisson a tendance à changer en fonction des variétés et il n'y a pas de grand mystère : tout dépend de la fraîcheur et du temps de trempage. Pour résumer, après une nuit passée dans l'eau, rincez les légumes secs, blanchissez-les dans une eau non salée, puis laissez-les mijoter 1 heure environ (ils doivent être tendres; pour être sûr, goûtez-les). Vous pouvez aussi ajouter une pomme de terre épluchée ou une tomate en quartiers qui attendriront la peau des haricots; ajoutez également des herbes ou un bouquet garni pour plus de parfum. Parfois, j'ajoute aussi une tranche de lard fumé que j'ôte après cuisson.

Lentilles du Puy braisées au romarin et à l'ail

Pour cette recette, vous pouvez étuver les lentilles sur le feu ou les braiser au four. Je vous conseille de les braiser : vous aurez donc besoin d'une casserole avec un manche résistant au feu pouvant aller aussi bien dans le four que sur le gaz. Cette recette n'a vraiment rien à voir avec de simples lentilles bouillies. Vous pouvez la servir avec des pigeons rôtis ou du gibier grillé.

Pour 6 personnes
55 g de pancetta ou de poitrine fumée
340 g de lentilles du Puy
1 cuillerée à soupe de d'huile d'olive pour la cuisson
3 cuillerées à soupe pleines de romarin frais
1 oignon rouge ou 2 échalotes finement hachés
2 gousses d'ail finement hachées
85 cl de bouillon de poulet
2 cuillerées à soupe d'huile d'olive extra-vierge
½ cuillerée à soupe de vinaigre de vin rouge
Sel et poivre noir fraîchement moulu

Coupez finement la pancetta ou la poitrine fumée perpendiculairement aux veines de gras blanc. Lavez rapidement les lentilles. Dans une casserole à fond épais, faites chauffer 1 cuillerée à soupe d'huile d'olive puis faites frire et colorer la viande. Ajoutez le romarin, l'ail et l'oignon. Faites cuire encore 2 minutes puis incorporez les lentilles et laissez frire 1 autre minute. Versez le bouillon, couvrez, portez à ébullition et faites mijoter au four pendant 1 heure à 160 °C (thermostat 2 ou 3). Mélangez de temps en temps. Les légumes doivent être tendres. Pendant la cuisson, une grande partie du bouillon aura été absorbée. Ajoutez 2 cuillerées à soupe de votre meilleure huile d'olive extra-vierge, le vinaigre de vin rouge et enfin, le sel et le poivre selon votre goût (n'oubliez pas que la pancetta et la poitrine sont assez salées). Servez chaud.

Cornilles aux épinards et vinaigre balsamique

Ce plat peut être servi chaud, seul, en légumes ou à température ambiante comme une salade ou une entrée. J'apprécie beaucoup ces haricots en accompagnement d'un rôti de porc bien juteux (voir page 109).

Pour 4 personnes
340 g de haricots « cornille »
2 gousses d'ail hachées
1 cuillerée à soupe de beurre doux
1,5 cuillerée à soupe d'huile d'olive extra-vierge
255 g d'épinards frais, grossièrement hachés
Sel et poivre noir fraîchement moulu
1 cuillerée à soupe de vinaigre balsamique

Rincez les haricots trempés, couvrez d'eau, portez à ébullition et laissez mijoter pendant 1 heure (ils doivent être tendres). Égouttez. Faites frire et dorer l'ail dans le beurre et l'huile (cela ne prend que quelques instants). Ajoutez les haricots égouttés et les épinards ; laissez cuire pendant 1 minute. Salez et poivrez. Mélangez le tout en versant le vinaigre balsamique.

Flageolets aux tomates marinées, piments et basilic

Essayez cette recette en la servant froide, simplement accompagnée dune salade verte. Vous pouvez également la présenter chaude avec un poisson blanc rôti comme la lotte. Elle se marie aussi très bien avec le poulet et le porc.

Pour 4 personnes
340 g de flageolets trempés une nuit
11 tomates moyennes bien mûres
1 belle botte de basilic, grossièrement hachée
2 piments frais moyens, sans pépins et finement hachés
1 à 1,5 cuillerée à soupe de vinaigre de vin rouge
3 cuillerées à soupe d'huile d'olive extra-vierge
Sel et poivre noir fraîchement moulu

Rincez les haricots trempés et couvrez-les d'eau froide. Ajoutez 1 tomate (l'acidité de la tomate attendrit la peau des haricots). Amenez à ébullition, couvrez la casserole et laissez mijoter pendant 1 h 30 (les légumes doivent être tendres).

Éliminez le pédoncule des 10 tomates restantes et entaillez superficiellement leur peau avec la pointe d'un couteau. Placez-les dans un grand volume d'eau bouillante pendant 10 secondes environ et faites-les refroidir immédiatement. Pelez-les. Enlevez les pépins et coupez grossièrement la pulpe. Assemblez la chair obtenue avec tous les autres ingrédients restants.

Égouttez les haricots cuits, éliminez la tomate cuite et mélangez délicatement avec la préparation à la tomate. Laissez mariner pendant 15 minutes pour obtenir un goût parfait.

Flageolets aux poireaux, parmesan et crème

J'apprécie beaucoup cette recette servie comme accompagnement d'une viande rôtie. Le résultat est vraiment superbe ! Il est très agréable aussi avec des côtes d'agneau poêlées aux épinards.

Pour 4 personnes
340 g de flageolets trempés quelques heures
1 tomate
3 poireaux moyens et propres
2 gousses d'ail hachées
1 noix de beurre
1 cuillerée à soupe d'huile
Sel et poivre noir fraîchement moulu
14 cl de crème fraîche
60 g de parmesan fraîchement râpé

Rincez les haricots trempés et couvrez-les d'eau froide. Ajoutez 1 tomate (l'acidité de la tomate attendrit la peau des haricots). Amenez à ébullition, couvrez la casserole et laissez mijoter pendant 1 h 30 (les légumes doivent être tendres).

Émincez les poireaux aussi finement que possible, légèrement en biais. Faites-les frire avec l'ail dans le mélange huile/beurre puis assaisonnez avec le sel et le poivre selon votre goût. Ajoutez les haricots cuits et égouttés à la crème. Versez la préparation dans un plat creux, saupoudrez le tout de parmesan et laissez colorer 20 minutes environ à four chaud (230 °C, thermostat 8).

Lingots au vinaigre d'herbes

Les lingots me font toujours penser à une épaisse soupe italienne servie en bol avec du pain toasté croustillant et une huile olive verte bien corsée (voir page 19).

Pour 4 personnes
340 g de lingots trempés une nuit
2 cuillerées à soupe de vinaigre blanc
4 cuillerées à soupe d'huile d'olive extra-vierge
Quelques herbes fraîches selon votre goût
Sel et poivre noir fraîchement moulu

Rincez les haricots trempés et couvrez-les d'eau froide. Amenez à ébullition, couvrez la casserole et laissez mijoter pendant 1 heure environ (les légumes doivent être tendres). Égouttez et mélangez les haricots cuits avec les autres ingrédients. Servez chaud ou froid.

RISOTTO ET COUSCOUS

LE RISOTTO

Si je demandais à la plupart des gens que je rencontre ce qu'ils pensent des risottos, je suis certain qu'ils me répondraient que ce sont là des recettes de restaurant et qu'ils n'en préparent jamais à la maison. En fait, contrairement à une idée reçue, le risotto est un plat facile à faire, vraiment idéal pour la cuisine de tous les jours. Vous pouvez le préparer copieux ou léger, piquant ou peu épicé. Les ingrédients utilisés sont bon marché et disponibles toute l'année. Un risotto parfait ne doit pas être figé dans l'assiette, ni être moulé d'une manière ou d'une autre.

Bien, vous avez maintenant trouvé ce superbe riz aux grains dodus et gonflés indispensable au risotto, il ne vous manque plus désormais que les ingrédients pour l'accompagner. Vous pouvez, en fait, presque tout utiliser au gré de votre imagination : des herbes, du poisson, de la viande, des champignons, des abats, des épices, des crustacés, des fromages... la liste est sans fin. Souvenez-vous simplement que le riz est déjà assez parfumé et attrayant par lui-même, et que les autres saveurs doivent être délicates et discrètes. Le riz a besoin d'être tendre tout en conservant une très légère fermeté. La sauce qui lie toute la recette est une combinaison subtile des différents jus de cuisson épaissis par l'amidon du riz.

À présent, je vais vous donner une recette de base sûre, puis cinq déclinaisons parmi celles que je préfère. Vous verrez, après un essai, la préparation vous semblera très facile. Et si vous manquez de confiance, rappelez-vous que le risotto n'est pas une recette de restaurant sophistiqué, mais plutôt un plat traditionnel à apprécier sans façon.

Quelques points à garder en mémoire

- Pour un risotto réussi, choisissez un riz rond spécial (Arborio, Carnaroli).
- Ne lavez pas le riz pour en garder tout l'amidon.
- Cuisinez dans une sauteuse à fond épais et hauteur moyenne et d'assez grand diamètre. L'épaisseur du fond permet une bonne répartition de la chaleur, les bords élevés permettent d'éviter une évaporation trop rapide.
- Ayez à disposition de bons bouillons faits maison (voir pages 223 à 226), mais si vous n'avez pas le temps, achetez-les préparés.
- Essayez toujours d'utiliser du parmesan frais (de préférence du parmesan Reggiano) que vous râpez à partir d'un morceau. Évitez les sachets tout prêts. Le goût n'a vraiment rien à voir si vous râpez le parmesan au dernier moment. Il faut l'utiliser presque comme un élément de l'assaisonnement permettant d'enrichir les autres saveurs. On l'emploie dans la plupart des risottos, à l'exception des recettes au poisson ou aux fruits de mer.

La recette de base du risotto

Si vous suivez cette recette, je vous promets que vous réussirez un des meilleurs risottos qui soient. Le vrai secret d'un bon risotto, j'en ai peur, est la patience : vous devrez rester à le surveiller pendant plus d'un quart d'heure en y consacrant toute votre attention. Mais cela en vaut la peine. La recette se divise en plusieurs étapes ; je vous donnerai ensuite cinq variantes, très originales, de cette préparation de base.

Pour 6 personnes
1 litre environ de bouillon (poulet, poisson ou légumes selon les recettes, p. 223 à 225)
1 cuillerée à soupe d'huile d'olive
3 échalotes finement hachées
1/2 cœur de céleri finement haché (éliminez les feuilles extérieures trop dures)
Sel de mer et poivre noir fraîchement moulu
2 gousses d'ail fraîchement hachées
400 g de riz à risotto
10 cl de vermouth sec (martini sec ou Noilly Prat) ou vin blanc sec
70 g de beurre
100 g de parmesan fraîchement râpé

Étape 1. Chauffez le bouillon. Dans une autre casserole, faites suer à feu moyen les échalotes et le céleri dans l'huile d'olive pendant 3 minutes. Ajoutez l'ail et faites cuire encore 2 minutes avec une pincée de sel. Lorsque les légumes sont étuvés, ajoutez le riz. Baissez l'intensité du feu.

À ce moment, vous ne pouvez plus quitter votre casserole car la partie intéressante de la recette débute vraiment ! Commencez par faire cuire le riz sans liquide en remuant constamment. Les grains ne doivent jamais colorer (si la température vous paraît trop forte, baissez-la). Le riz doit être agité sans arrêt. Après 2 ou 3 minutes, il va commencer à devenir transparent et à absorber tous les arômes des légumes étuvés (s'il craque ou crépite légèrement, tout va bien). Ajoutez le vermouth ou le vin blanc tout en continuant à mélanger avec une spatule ou une cuillère en bois – le parfum est fantastique ! L'alcool va s'évaporer en entraînant avec lui tous les goûts trop forts, pour ne laisser que de délicates saveurs dans le riz.

Je dois admettre que je ne résiste pas au vermouth. En cuisant avec le riz, il semble apporter un goût à la fois subtil et puissant en donnant une douceur très agréable. Le vin blanc sec est aussi délicieux, peut-être même plus délicat et frais. Essayez les deux et faites votre choix.

Étape 2. Lorsque le vermouth semble s'être évaporé du riz, ajoutez 1 première louche de bouillon chaud et 1 pincée de sel (ne salez qu'en petites quantités et en tenant compte de la saveur du bouillon). Baissez encore l'intensité du feu pour obtenir un infime frémissement (le risotto doit cuire très lentement sinon le riz est gonflé et cuit à l'extérieur mais reste pratiquement cru à l'intérieur). Continuez à ajouter des louches de bouillon au fur et à mesure qu'elles sont complètement absorbées par le riz. Cela devrait prendre environ 15 minutes. Goûtez le riz. Ajoutez encore du bouillon si le riz est encore trop ferme. Vérifiez l'assaisonnement.
Étape 3. Sortez la casserole du feu, puis ajoutez le beurre et le parmesan. Remuez délicatement. Dégustez sans attendre : le risotto ne doit pas sécher.

Servez tel quel avec une salade verte et une tranche de pain croustillant. Magnifique !

Risotto aux cocos, à la pancetta et au romarin

Voici ma recette de risotto préférée : elle est vraiment excellente. Le mariage de la pancetta et du romarin fut sans doute célébré au paradis et les haricots apportent à la recette une touche étonnante.

Ce risotto est délicieux avec des restes de lapin ou de lièvre qui peuvent être coupés et ajoutés à la dernière minute.

Pour 6 personnes

La recette de risotto de base (voir page 170, en utilisant du bouillon de poulet ou de légumes)
55 g de pancetta ou de poitrine de porc fumée en tranches fines
2 cuillerées à soupe de romarin frais haché
255 g de haricots cornilles

Suivez la recette de base. Faites frire les tranches de pancetta ou de poitrine fumée pour les dorer et les rendre croustillantes. Ajoutez-les à la recette au moment de l'étape 1, avec le romarin. Lors de l'étape 3, ajoutez les haricots cuits et chauds.

Risotto aux champignons, à l'ail, thym et persil

Ce qui est agréable avec la recette du risotto aux champignons, c'est que vous pouvez utiliser une ou plusieurs variétés de champignons. On trouve dans les supermarchés un choix excellent de produits des plus variés : des pleurotes, des girolles, des chanterelles, des trompettes de la mort. Dans la mesure du possible, j'évite de nettoyer les champignons sylvestres car ils se gorgent d'eau (à éviter absolument) et cuisent difficilement. Brossez-les délicatement avec un pinceau à pâtisserie ou une toile propre et assez fine. Vous pouvez préparer un bon risotto avec des champignons séchés. Les cèpes secs sont délicieux et très faciles à réhydrater.

Pour 6 personnes

La recette de risotto de base (voir page 170, en utilisant du bouillon de poulet ou de légumes)
255 g de champignons (une ou plusieurs variétés mélangées)
3 cuillerées à soupe d'huile d'olive
Quelques brins de thym frais, sans tiges et hachés
1 gousse d'ail finement hachée
Sel et poivre noir fraîchement moulu
1 botte de persil sans tiges grossièrement hachée
1 pincée de piment chili en poudre
Le jus d'1 citron

Émincez les champignons finement et partagez les girolles et les chanterelles en deux. Ne faites pas cuire tous les champignons d'un seul coup – faites-le en deux ou trois fois. Dans une poêle très chaude, faites sauter les champignons avec l'huile d'olive et le thym. Faites cuire pendant 1 minute environ, mélangez puis ajoutez l'ail et 1 pincée de sel. (Il est important d'assaisonner les champignons pendant leur cuisson.) Continuez de faire cuire pendant 1 ou 2 minutes et goûtez. Lorsqu'ils sont à point, ajoutez le persil, 1 petite pincée de piment et le jus du citron. Mélangez et goûtez à nouveau – ils devraient être parfaits. Hachez la moitié des champignons cuits.

À l'étape 2 de la recette de base, après la première louche de bouillon, incorporez les champignons hachés et ajoutez le reste lors de l'étape 3.

LE PAIN

Pain roulé, ciabatta et pain de campagne

Cassons la croûte !

Parmi tous les chefs que je connais, nombreux n'ont jamais fait de pain et j'en suis vraiment étonné. Pour moi, le pain occupe une place à part. Si vous allez chez des amis ou au restaurant, un pain fait maison amène vraiment quelque chose d'original et de différent. Et, s'il est bon, alors là, c'est vraiment exceptionnel. J'ai commencé à faire du bon pain en France. J'y ai appris énormément et j'ai beaucoup de respect pour les boulangers. La fabrication du pain me parut presque une science exacte, pour d'excellentes raisons d'ailleurs.

C'est en rencontrant Gennaro Contaldo du Neal Street Restaurant, à Covent Garden, que j'ai pu avoir une vision peut-être moins ennuyeuse et plus ludique de la boulangerie en découvrant tous les types de pain qu'il pouvait réaliser. Ils étaient faciles à faire et merveilleusement bons. Parce que j'étais très désireux d'apprendre, je travaillais de longues heures au restaurant. Je me levais vers trois heures du matin pour me rendre à Covent Garden et conduisais dans les rues désertes et endormies. Là, pendant quatre heures et demi, je préparais le pain avec Gennaro, au début en essayant de l'imiter, puis en l'aidant vraiment. Rien n'était très précis, mais en suivant des règles simples et en prenant de bonnes matières premières (avec un petit supplément d'âme aussi) son pain était d'une qualité superbe et constante.

On fabriquait une grande quantité de pâte de base et, en la divisant, on façonnait ensuite toutes sortes de pains différents. Ce que j'aimais beaucoup chez Gennaro, c'était sa manière de considérer ses propres recettes : elles n'étaient pas, selon lui, « gravées dans le marbre » et devaient pouvoir évoluer et faire place à l'inventivité et l'innovation. Gennaro ne pensait pas que ses méthodes fussent les seules valables ou les meilleures (comme le font beaucoup d'autres chefs). Sa modestie et sa compétence ont été pour moi une constante source de réflexion et d'inspiration.

Je considère que la préparation du pain est une forme d'art qui requiert une sorte de sixième sens pour pétrir et manipuler la pâte. La première fois que j'ai fait de la pâte avec Gennaro, elle était très collante et j'en avais mis partout. Il avait beaucoup ri et m'avait ensuite suggéré de considérer la pâte à pain comme une femme et donc de la traiter avec délicatesse et douceur, mais aussi avec force et vigueur. Mon pain est alors devenu bien meilleur ! Cette expérience est restée profondément gravée en moi et constitue la base de mon savoir-faire en boulangerie.

La recette de base pour le pain

Le pain fait maison est facile à préparer et produit toujours un effet remarqué. Peu importe que vous le fassiez souvent ou de manière occasionnelle. Ce sera *votre* pain avec ses caractéristiques propres. Une fois que vous aurez réussi une de ces recettes, je suis sûr que vous en essayerez d'autres et que vous ne pourrez plus vous en passer !

Voici une recette bien conçue : une liste d'ingrédients fixes et une méthode clairement divisée en étapes pour pouvoir ensuite faire toutes les variations qui vous tentent.

30 g de levure de boulanger (ou 21 g de levure séchée)
30 g de miel
60 cl d'eau tiède environ
500 g de farine (type 55)
500 g de farine standard
30 g de sel fin
Un peu de farine supplémentaire pour travailler la pâte

Étape 1. Dissolvez la levure et le miel dans la moitié de l'eau tiède.
Étape 2. Sur une surface plane, propre et assez grande (ou, éventuellement un gros bol si vous manquez de place), faites un tas avec les deux farines et le sel. Avec une main, formez une fontaine au centre. (Si vous en avez la possibilité, il est bon de pouvoir faire chauffer légèrement les farines.)
Étape 3. Versez le mélange de miel et de levure fondue au centre de la fontaine et, avec quatre doigts, commencez à faire des mouvements circulaires en partant du centre et en approchant progressivement des bords. Lorsque la levure liquide est absorbée, ajoutez le reste de l'eau tiède et continuez à travailler le mélange pour incorporer toute la farine et obtenir une pâte assez humide. (Certaines farines peuvent demander plus d'eau, n'ayez pas peur de modifier les proportions de la recette.)
Étape 4. Le pétrissage ! C'est la meilleure partie. Roulez, poussez et pliez la pâte pendant 5 minutes. Ce travail développe la structure et l'élasticité de la pâte. Si des morceaux de pâte collent à vos doigts, frottez vos mains dans la farine.

Vous pouvez accomplir les étapes n° 2, 3 et 4 dans un pétrin en utilisant le crochet à pain.

Étape 5. Farinez vos deux mains ainsi que la surface de la pâte. Donnez au pain une forme arrondie et placez-le dans un moule de cuisson. Faites quelques entailles sur la surface de la pâte avec un couteau, cela accélérera sa poussée et sa détente.
Étape 6. Laissez le pain pousser une première fois. Il doit doubler de volume. C'est le meilleur moment pour préchauffer le four (voir les différentes températures préconisées selon les pains). Il faut avoir une chaleur douce, assez humide et sans agitation pour une fermentation rapide. Le meilleur endroit est soit près du four, soit dans une pièce chaude. Pour aller encore plus vite, couvrez légèrement avec du film alimentaire. Selon les conditions, la fermentation dure de 40 minutes à 1 h 30 et donne naissance à de nombreux arômes.

Parlons un moment de la fermentation que vous sachiez ce qu'il se passe exactement. Grâce à la chaleur de la pièce et de l'eau, les bactéries de la levure consomment les sucres et produisent du gaz carbonique. Dans la théorie, trois choses favorisent la fermentation : la chaleur, l'humidité et la présence de sucres. Tout excès de l'une de ces trois conditions « tue » la levure (tout comme l'excès de sel).

Étape 7. Lorsque la pâte a doublé de volume, travaillez-la une minute pour en chasser tout l'air.
Étape 8. Travaillez la pâte selon les formes que vous désirez – ronde, plate, farcie ou autres (voir les recettes aux pages suivantes).

Ne perdez pas confiance ! Si vous trouvez que votre pâte n'est pas suffisamment montée, attendez encore un peu et vérifiez les conditions ambiantes nécessaires à sa fermentation.

Étape 9. Il est maintenant temps de cuire le pain. Après tout le travail déjà accompli, ne gâchez pas vos efforts. Il ne faut pas que la pâte se dégonfle ; il est donc important de la manipuler avec précaution. Placez-le pain cru délicatement dans le four et ne claquez pas la porte. Faites cuire selon les indications qui vont suivre, chaque recette ayant son propre barème. Pour être sûr de la cuisson, tapez la surface du pain (démoulez-le le cas échéant) : s'il sonne creux, c'est parfait ; sinon poursuivez la cuisson un peu plus longuement.
Étape 10. Posez le pain sur une grille et laissez-le refroidir. Vous allez adorer !

La focaccia

Pour 2 grosses focaccia ou 4 moyennes

Voici mon pain plat italien préféré. Il n'est pas très difficile à faire. Suivez la recette de base jusqu'à l'étape 8, puis séparez la pâte en deux ou quatre morceaux égaux. Avec vos mains, donnez-leur une forme ovale de 1,5 cm d'épaisseur sans rechercher la perfection, la focaccia est un pain plutôt rustique, parfait pour les boulangers débutants ! Placez les pains crus sur une plaque bien farinée et recouvrez-les de l'une des garnitures décrites plus bas. Pour finir, façonner les trous caractéristiques de la focaccia en enfonçant profondément plusieurs doigts dans la pâte pour que la garniture puisse pénétrer. Laissez pousser pendant 45 minutes.

À l'étape 9 de la recette de base, faites cuire les focaccia pendant 15 minutes à four très chaud (220 °C). Dès que les pains sortent du four, arrosez-les d'un filet de votre meilleure huile d'olive et parsemez-les légèrement de gros sel. Vous pouvez les déguster aussitôt.

LES GARNITURES

Voici maintenant quelques garnitures que j'apprécie beaucoup, mais vous vous amuserez beaucoup en inventant les vôtres.

Les garnitures ne doivent pas être trop lourdes, mais plutôt d'appétissantes combinaisons de saveurs. Essayez les tomates séchées au soleil, les olives noires ou vertes, les mélanges d'herbes, les huiles parfumées, les fromages (en petites quantités cependant, les Italiens utilisent plutôt les variétés assez sèches). Les quantités qui suivent correspondent à une recette de pâte de base. Mais vous pouvez aussi faire quatre focaccia avec quatre garnitures différentes ; divisez simplement les quantités.

Garniture au basilic et à l'huile d'olive

Voici la recette la plus simple. Elle est aussi délicieuse. Hachez finement une gousse d'ail et une belle botte de basilic. Ajoutez de l'huile d'olive (1 volume d'ail et basilic pour 3 volumes d'huile), le jus d'1 citron, du sel, du poivre noir, et, si vous aimez, une pointe de piment chili sec pour donner un léger piquant. Soyez subtil !

Garniture au romarin et aux pommes de terre

Lavez 15 pommes de terre nouvelles et émincez-les le plus finement possible. Couvrez-les d'eau salée bouillante (ou parfumée à la menthe) et laissez-les tremper 2 minutes. Égouttez et placez les pommes de terre dans un saladier. Arrosez généreusement de votre meilleure huile d'olive. Assaisonnez de sel et de poivre noir fraîchement moulu, ajoutez 1 cuillerée à soupe de romarin et 1 gousse d'ail finement hachée. Étalez la garniture sur les pains crus. Les focaccias seront encore plus appétissantes et rustiques si vous les piquez de quelques feuilles de romarin avant la cuisson.

Garniture à l'oignon

Pelez et coupez en deux 3 oignons rouges de taille moyenne (ou environ 6 échalotes), et émincez-les aussi finement que possible. Faites chauffer une poêle avec 1 bonne louche d'huile. Commencez en y faisant frire 1 gousse d'ail finement émincée, 1 cuillerée à soupe de thym frais sans tiges, puis ajoutez les oignons ou les échalotes. Salez et faites frire rapidement 4 minutes en remuant constamment (le but est de faire cuire et de colorer les oignons sans les laisser caraméliser ou brûler). Ensuite, ajoutez 3 cuillerées à café de vinaigre de vin rouge, puis laissez mijoter 4 minutes. Salez, poivrez et versez un filet d'huile d'olive. Étalez la garniture sur les pains crus et saupoudrez de thym.

Pain à la bière

Le pain à la bière

À l'étape 1 de la recette de base, remplacez l'eau par votre bière préférée et suivez les indications jusqu'à l'étape 8. Façonnez six boules de taille identique et placez-les côte à côte dans un moule rectangulaire huilé. Parsemez la surface d'un peu de farine ou de quelques graines de carvi. Laissez gonfler pour que le pain double de volume (les boules vont se mélanger en fermentant). Lors de l'étape 9, faites cuire à 225 °C (thermostat 7), pendant 25 minutes. Démoulez et laissez refroidir pendant 1 petite heure. Ce pain n'a pas un goût de bière très prononcé, mais plutôt un léger arôme de malt, très agréable.

Le pain roulé

J'aime ce pain avec du pesto violet, mais le pesto vert convient aussi (voir la recette du pesto, page 232). Suivez la recette de base. Lors de l'étape 8, divisez la pâte en deux morceaux identiques. Façonnez ces morceaux en une forme carrée d'1 cm d'épaisseur et 30 cm de côté. Étalez généreusement le pesto sur la pâte. Roulez les carrés, puis avec un couteau bien affûté, coupez en tranche de 4 cm d'épaisseur. Posez les tranches les unes à côté des autres sur une plaque huilée, section tranchée vers le haut. À l'étape 9, faites cuire à 225 °C (thermostat 7), pendant 15 minutes. Laissez refroidir 30 minutes avant de déguster.

Le pain de campagne

Pour deux miches

Suivez la recette de base jusqu'à l'étape 8 et partagez la pâte en deux moitiés. Façonnez en boule les deux pâtons. Placez-les sur la plaque bien farinée, puis pressez-les pour les aplatir légèrement. Saupoudrez généreusement de farine puis, avec un couteau très coupant, faites quatre incisions sur la surface des pains. Laissez fermenter pendant 1 heure environ.

Lors de l'étape 9, faites cuire 25 minutes environ à 225 °C (thermostat 7). Laissez reposer au moins 1 heure après cuisson.

Les gressins

Cette recette est parfaite pour utiliser des restes de pâte ; il n'est donc pas nécessaire de préparer toute la recette de base à moins que vous ne vouliez une bonne centaine de ces pains longs et fins. Vous pouvez d'ailleurs les conserver dans une boîte hermétique pendant plusieurs semaines, ou les congeler.

Après l'étape 7 de la recette de base, étalez la pâte en une fine abaisse d'environ 1 cm d'épaisseur et 30 cm de long. Farinez généreusement la surface et, avec un couteau ou une roulette à pizza, découpez des bandelettes d'environ 1 cm de large. Étalez-les sur la plaque du four en les farinant à nouveau généreusement. Laissez fermenter 30 minutes. Lors de l'étape 9, faites cuire environ 10 minutes à 200 °C (thermostat 6) (si vous voulez les pains gressin légers et croustillants). Ces petits pains sont parfaits si vous avez des amis qui passent prendre un verre. Servez-les avec du hoummos, du guacamole, une petite sauce aux olives et d'autres accompagnements de votre choix.

La ciabatta

Pour 3 ciabattas

Suivez la recette de base en ajoutant environ 6 cuillerées à soupe d'huile d'olive au moment de l'étape 8. Partagez ensuite la pâte en trois morceaux. Avec les mains, roulez chaque morceau en une sorte de saucisse longue de 25 cm. Avec la paume d'une main, aplatissez les saucisses de pâte pour obtenir des pâtons longs de 30 cm, larges de 10 cm et épais de 2,5 cm. Placez-les sur la plaque du four généreusement farinée et incisez-les cinq fois en biais avec la pointe d'un couteau.

Laissez fermenter pendant 45 minutes puis faites cuire environ 30 minutes à 225 °C (thermostat 7). Laissez refroidir 30 minutes avant de déguster.

Gressins

LES DESSERTS

Semi-freddo de turrón et de nougat

Les desserts plaisent à tout le monde, mais lorsqu'il s'agit de les préparer, les personnes de bonne volonté sont rares et les moins audacieux finissent souvent par acheter une préparation surgelée toute faite !

La plupart des gens possèdent un répertoire limité de recettes de dessert qu'ils réussissent très bien. Il leur suffirait de varier les garnitures, les fourrages ou les aromatisations, pour que cette liste se révèle assez longue. Ceci est le principe et l'esprit dans lequel on doit concevoir la préparation des desserts !

Vu les prix pratiqués dans les restaurants, vous êtes en droit d'y attendre des mets exceptionnels. En tant que chef, je suis donc amené à réaliser des desserts splendides, mais ils sont, en général, bien trop complexes pour une préparation domestique.

Alors voilà quelques bonnes recettes sans détails inutiles. Ces idées serviront de base à votre imagination. J'aimerais que vous observiez, dans les magasins, tout ce qui vous paraît appétissant, tout ce qui retient votre regard ou attire votre nez (des fruits juteux et parfumés par exemple) et que vous rameniez à la maison cette moisson pour en faire de succulentes recettes.

Les fruits au four

Ne sous-estimez pas la simplicité et l'intérêt des fruits de saison bien mûrs. Essayez-les rôtis au four où ils prennent une apparence et un goût caractéristiques. Les tartes aux fruits cuits parfumées au sucre vanillé sont vraiment délicieuses et n'ont rien à voir avec les tartes de fruits crus.

Achetez quelques abricots, nectarines, prunes, pèches, poires, cerises, figues ou framboises de bonne qualité et mûres à point. Les quantités ne dépendent que de vous : préparez-en autant que vous souhaitez. Lavez les fruits, enlevez les noyaux et partagez-les si nécessaire. Vous pouvez aussi ajouter quelques tiges de rhubarbe lavées et émincées ou des tranches de bananes pelées. Assemblez les fruits dans un plat en terre suffisamment profond avec quelques cuillerées à soupe de cognac ou d'armagnac si vous voulez et saupoudrez de sucre vanillé (en principe, sucrez à votre goût, mais tenez compte de la nature des fruits que vous préparez; ils peuvent être plus ou moins doux ou acides). De préférence, grillez-les ou rôtissez-les à la température la plus haute de votre four. Les fruits doivent cuire assez pour se ramollir tout en gardant leur forme (cela prend de 4 à 10 minutes environ, mais la rhubarbe peut demander un peu plus de temps). Servez avec de la crème chantilly à la vanille, de la crème fraîche, de la glace à la vanille ou du mascarpone parfumé au sucre vanillé. Très raffiné !

Le sucre vanillé

N'achetez pas d'essence de vanille ni de sucre vanillé tout prêt. Ces produits sont très chers et décevants alors que vous pouvez les préparer facilement vous-même. Il faut, pour cela, employer des gousses de vanille.

N'achetez pas des gousses sèches ou cassantes, mais choisissez-les épaisses, collantes et ventrues. Le but est de faire infuser l'arôme de la vanille directement dans du sucre nature. Cela marche très bien et assez vite ; il suffit d'enfermer les gousses et le sucre ensemble dans une boite hermétique. C'est en fait ma recette préférée car voilà vraiment la meilleure manière d'extraire le maximum d'arôme de la vanille.

1 kg de sucre
4 gousses de vanille

Pour cette recette, il faut posséder un mixer électrique. Placez les gousses dans l'appareil et réduisez-les en une pâte très fine. Ajoutez tout le sucre et continuez à mixer pendant 2 minutes. Tamisez le mélange et repassez au mixer tous les grumeaux. Pour obtenir un bon résultat, il est parfois nécessaire de répéter plusieurs fois cette opération, on obtient de la sorte une préparation légèrement grise et très parfumée. Voilà du vrai sucre vanillé !

Vous pouvez le conserver de longs mois dans une boîte hermétiquement fermée.

La crème au mascarpone

Maintenant, voici une crème assez riche mais très agréable. Elle accompagne bien les fruits cuits au four mais peut aussi servir de garniture pour agrémenter une tarte aux fruits de dernière minute. Il suffit de garnir un fond de tarte cuit et de le recouvrir ensuite avec des fruits. Vous pouvez éventuellement glacer la tarte avec 1 cuillerée à soupe d'eau et de confiture légèrement chauffée.

1 cuillerée à soupe de sucre vanillé (voir recette, page 200)
255 g de mascarpone

Mélangez tout simplement le sucre au mascarpone.

La crème à la vanille

Cette crème possède une consistance plus légère que la recette précédente. Elle accompagne toutes sortes de desserts.

1 pot de 25 cl de crème fraîche épaisse
1 cuillerée à soupe de sucre vanillé (voir recette, page 200)

Fouettez la crème et le sucre un moment pour que le mélange épaississe. Il doit tenir légèrement sur les branches du fouet. Évitez de trop battre.

Semi-freddo

Je ne connais personne qui n'ait soupiré de plaisir en dégustant un semi-freddo. C'est tellement bon et si facile à faire. Cette recette (et ses variations) est une bonne alternative aux crèmes glacées même si, à titre personnel, j'adore les préparer. Mais, en réalité, qui prend vraiment le temps d'en faire ?

Le semi-freddo est un dessert original, aussi rafraîchissant que les glaces. Je vais vous donner mes recettes préférées mais vous pouvez faire varier la recette de base qui va suivre au gré de votre fantaisie.

Pour un bon résultat, il faut d'abord réunir tous les ingrédients et exécuter la recette le plus rapidement possible (sans vous précipiter, bien sûr !). Le but est de congeler le mélange avec le maximum d'air. Après avoir préparé l'aromatisation, la confection de la recette en elle-même ne prend que 4 minutes. Une fois la préparation terminée, versez le mélange dans le moule de votre choix (j'aime utiliser les plats en terre) et placez le tout au congélateur. Lorsque vous désirez déguster votre semi-freddo, sortez-le du froid et laissez-le se ramollir quelques minutes pour obtenir une consistance « semi-congelée » (*semi-freddo*). Souvenez-vous que la règle de sécurité alimentaire qui s'applique aux glaces concerne aussi cette recette : ne recongelez pas un produit décongelé ; vous risqueriez une intoxication !

Le semi-freddo est assez riche. Servez-le avec des fruits frais de saison (des fraises, des framboises, du cassis, des cerises). En Italie, on le présente avec du caramel et parfois avec un coulis de fruits. Je ne suis pas partisan de ces derniers accompagnements, mais c'est à vous de choisir.

Pour 12 personnes
1 gousse de vanille
55 g de sucre
4 gros œufs fermiers extra-frais, séparés
50 cl de crème fraîche
Sel fin

Coupez la gousse de vanille dans la longueur en deux et, en grattant avec la pointe d'un couteau, récupérez les graines noires qui contiennent tout l'arôme (ne jetez pas les gousses, mais utilisez-les pour faire du sucre vanillé : voir page 200). Avec un fouet, mélangez les graines de vanille avec le sucre et les jaunes d'œufs dans un grand saladier. Faites blanchir ce mélange. Dans un second saladier, battez la crème pour la faire épaissir. (Attention : ne fouettez pas trop, la consistance doit rester moelleuse.)

Dans un troisième saladier, montez les blancs d'œufs en neige ferme avec 1 pincée de sel. Ajoutez au mélange de jaunes d'œufs la garniture aromatique que vous avez choisie (suivez les recettes qui vont suivre ou votre imagination), la crème et les blancs d'œufs. Incorporez délicatement, puis versez aussitôt la préparation dans le plat de votre choix. Couvrez avec du film alimentaire et congelez plusieurs heures.

Semi-freddo praliné

Voici une de mes recettes favorites, aux noisettes torréfiées et au caramel. Superbe ! Pour réussir le caramel, il faut en surveiller la cuisson attentivement pendant 10 minutes. Ne le laissez pas cuire tout seul et surtout faites attention aux enfants : les brûlures au caramel sont des plus violentes. Résistez, avant tout, à l'envie de le goûter pendant la cuisson.

310 g de noisettes
200 g de sucre
4 cuillerées à soupe d'eau

Rôtissez les noisettes au four chauffé à 225 °C (thermostat 7) pour les faire dorer. Comptez 4 minutes environ. Surveillez attentivement, car si vous les faites trop colorer, elles seront amères et inutilisables. Assemblez le sucre et l'eau dans une casserole à fond épais et faites chauffer rapidement. Le mélange va commencer à bouillir et vite devenir limpide. Au début, le sirop commence à colorer sur les bords. Inclinez la casserole et mélangez pour uniformiser la coloration. Lorsque tout le caramel est brun doré, ajoutez les noisettes avec précaution. Baissez l'intensité du feu et mélangez le tout pour bien enrober les noisettes. Versez ensuite cette préparation sur une plaque légèrement huilée, sur un papier de cuisson ou une surface propre ne risquant pas de fondre ou de brûler.

Laissez refroidir 20 minutes pour obtenir une masse solide, brillante et aplatie. Quand le caramel est bien froid, concassez-le grossièrement, puis hachez-le le plus finement possible dans un mixer. Essayez d'obtenir des morceaux d'environ 1,5 cm de côté. Conservez la moitié de cette préparation et réduisez tout le reste en une fine poudre. Ajoutez ensuite les noisettes caramélisées (en morceaux et en poudre) dans la préparation pour semi-freddo.

UN AMOUR DE TARTE

Cet ouvrage étant consacré à une cuisine que l'on peut facilement réaliser, cela concerne aussi les recettes de pâtisserie. Je pense d'ailleurs que les tartes sont faciles à faire. On peut pétrir, mouler, voire précuire et surgeler la pâte à l'avance. De plus, les variations possibles sont presque infinies.

La pâte à tarte sucrée

Pour deux tartes de 30 cm de diamètre
250 g de beurre
200 g de sucre glace
1 bonne pincée de sucre
500 g de farine
4 jaunes d'œufs
4 cuillerées à soupe de lait froid

La préparation de la pâte

Vous pouvez préparer cette pâte à la main ou avec un robot. Mélangez le beurre et le sucre avec le sel, puis ajoutez la farine et les jaunes d'œufs. Lorsque la pâte ressemble à une sorte de chapelure assez grossière, ajoutez le lait froid. Mélangez et pétrissez quelques instants, puis formez la pâte en boule. Farinez légèrement et étalez aux dimensions souhaitées. Le principe de cette préparation est d'assembler tous les ingrédients le plus vite possible avec le minimum de travail pour obtenir une pâte assez molle et malléable. Plus vous la travaillerez, plus elle sera élastique et difficile à étaler. À éviter absolument !

Le repos de la pâte

En principe, je donne à ma pâte la forme d'un gros pain, puis je l'emballe dans du film alimentaire et je la laisse reposer 1 heure au réfrigérateur.

La garniture du moule

Découpez soigneusement avec un couteau dans le sens de la longueur, de fines bandes de pâte d'environ 5 mm d'épaisseur (n'essayez pas de découper de la pâte congelée). Personnellement, j'aime que la pâte soit assez fine, mais

vous pouvez la couper plus épaisse (dans ce cas, comptez un temps de cuisson un peu plus long). À la manière d'un puzzle, placez les tranches de pâte côte à côte au fond et sur les bords du moule de manière à le couvrir complètement. Égalisez, soudez les morceaux entre eux avec les doigts. Coupez la pâte en trop qui dépasse des rebords ou, au contraire, laissez la pendre (ce qui donne un petit côté « rustique »). Une fois que le moule est bien chemisé de pâte, vous devez le laisser reposer au moins une heure ; de préférence au congélateur (je conserve toujours mes fonds de tartes au congélateur, ils sont aussi bons que frais). Habituellement, je prépare deux moules et j'en congèle un (vous pouvez en faire plus : doublez simplement la recette de pâte, cela ne prend pas beaucoup plus de temps). C'est tellement facile d'attraper un moule congelé, de le faire cuire quelques minutes puis de le garnir simplement ou de manière plus élaborée lorsque des amis se présentent à l'improviste. En un instant, le tour est joué !

La cuisson de la tarte

Pour commencer, je fais toujours cuire au four les fonds de tarte sans garniture pendant 15 minutes à 180 °C (thermostat 4). Les fonds sortent ainsi parfaitement cuits, bien colorés et peuvent être agrémentés d'une des garnitures sucrées crues, comme par exemple la tarte au mascarpone et fruits ou la tarte au chocolat (voir page 221). Ces recettes peuvent être suivies à la lettre ou simplement servir de base à votre imagination.

Avec les garnitures sucrées à cuire (la tarte aux amandes ou la tarte au citron et citrons verts), il faut faire cuire les fonds de pâte moins longtemps (12 minutes à 180 °C, thermostat 4) pour ne pas les faire colorer. Pour cuire ces fonds, il existe aussi la méthode suivante. Posez sur la pâte un papier cuisson qui remonte jusqu'aux rebords et remplissez avec des haricots (vous pouvez aussi utiliser du riz, des lentilles, des pois ou tout autre chose). Le poids des haricots empêche la pâte de glisser et de se rétracter pendant la cuisson. Commencez par faire cuire 10 minutes, puis enlevez délicatement le papier de cuisson et les haricots puis laissez cuire encore 5 minutes.

Tout cela est, certes, assez compliqué, et je me sers rarement de cette méthode. Très honnêtement, si vous sortez vos fonds crus du congélateur et que vous les faites cuire au four directement, vous ne devriez jamais rencontrer de problème. Après avoir précuit les fonds, versez la garniture et laissez au four le temps prévu (voir les recettes et les temps de cuisson correspondants).

Tarte aux amandes

Un fond de tarte précuit (voir page 214)
400 g d'amandes sans peau
350 g de beurre doux
300 g de sucre
3 gros œufs fermiers extra-frais

Dans un mixer, réduisez les amandes en une fine poudre et placez-les dans un saladier. Mixez ensuite le beurre et le sucre pour obtenir une crème blanche et légèrement mousseuse. Ajoutez cette préparation aux amandes en poudre avec les œufs légèrement battus. Mélangez pour obtenir une pâte homogène et laissez raffermir plusieurs heures au réfrigérateur. Lorsque la crème d'amande est bien froide, remplissez le fond de tarte. Prévoyez peu de crème si vous ajoutez des fruits. Si la tarte est nature, ne la remplissez pas trop car la crème pourrait déborder en cuisant. Pour une tarte aux amandes et aux fruits, choisissez des fruits légèrement fermes, car une fois cuits, ils contrasteront avec la douceur de la garniture.

Mes fruits préférés sont les cerises, les nectarines, les pêches et les poires. Placez-les simplement dans la crème d'amande en appuyant légèrement avec le doigt pour les faire pénétrer.

Faites cuire au four sur une grille à 180 °C (thermostat 4) pendant 1 heure environ pour que la crème prenne une consistance ferme et une belle couleur dorée. Laissez refroidir 30 minutes et servez avec de la crème glacée, de la crème fraîche ou de la crème à la vanille (voir page 201).

Cette tarte se conserve 2 jours. Mais il est très pratique d'avoir à disposition des fonds surgelés précuits et garnis de crème d'amande pour satisfaire des invités de dernière minute habitués aux meilleures pâtisseries.

Tarte au citron et citron vert

Voici une de mes recettes de tartes préférées. Pour moi, l'association des citrons et des citrons verts est vraiment plus rafraîchissante que le seul citron. Si vous voulez mettre encore plus en relief la saveur du citron vert, grattez les zestes de 4 fruits et ajoutez-les aux autres ingrédients.

Cette tarte est préparée sur le principe des flans. La pâte est précuite dans le moule puis recouverte de garniture au citron. La cuisson au four donne à la crème de citron une consistance douce et soyeuse, la pâte restant croustillante.

1 fond de tarte précuit (voir page 214)
340 g de sucre en poudre
8 gros œufs fermiers
35 cl de crème épaisse
20 cl de jus de citron vert
10 cl de jus de citron

Pour cette tarte, comme pour toutes celles qui sont recouvertes d'une garniture très humide, il est nécessaire de lustrer la surface de la pâte crue avec de l'œuf battu avant de verser la crème de citron. Cette opération crée une sorte de couche imperméable qui protège la pâte et lui permet de rester croustillante plus longtemps.

Faites précuire le fond de pâte (voir page 214). Mélangez ensemble le sucre et les œufs dans un saladier. Ajoutez ensuite la crème épaisse et les jus. Placez le fond de pâte cuit au four et remplissez-le avec la crème de citron (de cette manière, on évite de renverser la garniture). Faites cuire pendant 45 minutes à 180 °C (thermostat 4). La crème doit prendre légèrement mais rester assez souple au centre de la tarte (apparemment, tous les fours ne sont pas identiques et cuisent plus ou moins rapidement. Pour plus de sécurité, essayez cette recette deux ou trois fois pour connaître le temps de cuisson exact). Après un refroidissement d'environ 1 heure, la crème se sera encore solidifiée pour atteindre une consistance parfaite ; souple et douce. Si vous coupez la tarte au citron trop tôt, la crème ne sera pas assez solide et risque de couler.

Si vous voulez, vous pouvez saupoudrer la tarte de sucre glace ou la servir avec des fraises ou des framboises fraîches. Mais, quels que soient vos goûts, choisissez des accompagnements simples et assez neutres pour laisser la vedette à votre superbe tarte au citron !

Tarte cuite au chocolat

Accompagnez cette tarte de quelques petits fruits rouges (des framboises, des fraises ou des cassis).

1 fond de tarte cuit de 25 cm de diamètre (voir page 214)
140 g de beurre doux
150 g de bon chocolat à cuire
8 cuillerées à soupe de cacao en poudre tamisé
1 petite pincée de sel
4 œufs
200 g de sucre en poudre
3 cuillerées à soupe de sirop
3 cuillerées à soupe pleines de crème fraîche

Placez le beurre, le chocolat et le sel dans un bol doucement chauffé au bainmarie et laissez fondre en remuant de temps en temps. Dans un autre saladier, fouettez et faites blanchir les œufs et le sucre, puis ajoutez le sirop et la crème fraîche. Ajoutez ensuite le chocolat fondu en raclant soigneusement avec une spatule, puis le cacao en poudre. Lorsque le mélange est bien homogène, versez-le sur le fond de pâte précuit. Placez au four préchauffé à 150 °C (thermostat 2). Pendant la cuisson, une superbe croûte va se former à la surface.

Sortez soigneusement la tarte du four et laissez la refroidir sur une grille et dans son moule pendant 45 minutes environ. Pendant cette attente, la croûte se solidifiera et, par endroits, la crème au chocolat perlera légèrement.

Tarte au chocolat

GARNITURES SANS CUISSON

Tarte au chocolat

Cette pâtisserie est tout indiquée pour les accros du chocolat car elle est diablement facile et rapide à préparer. Cette recette nécessite impérativement une couche de pâte assez épaisse et son goût dépend de la qualité du chocolat employé : choisissez le meilleur.

1 fond de tarte précuit (voir page 213)
32 cl de crème fraîche
2 cuillerées à soupe rase de sucre en poudre
1 petite pincée de sel
115 g de beurre en pommade
455 g de chocolat à cuire de première qualité en morceaux
10 cl de lait
Cacao en poudre pour le décor

Dans une casserole, portez à ébullition la crème, le sel et le sucre. Dès que le mélange bout, sortez-le du feu puis ajoutez le beurre et le chocolat. Laissez refroidir la préparation un moment en mélangeant peu à peu le lait. Parfois le mélange peut ne pas sembler très homogène ; dans ce cas ajoutez encore un peu de lait froid, toujours en mélangeant. Videz ensuite cette crème dans le fond de pâte précuit refroidi et répartissez-la bien de manière aussi égale que possible. Placez la tarte dans une pièce fraîche et laissez-la refroidir pendant 1 ou 2 heures. Saupoudrez ensuite la surface de cacao tamisé. Le résultat est savoureux : la pâte doit être croustillante et la crème aussi fondante que du beurre.

Tarte fourrée au mascarpone et aux fruits

Voici une recette succulente à réaliser en un clin d'œil. Préparez-la pendant la pleine saison des fruits rouges, au meilleur de leur saveur. Étalez et répartissez le mascarpone sur le fond de pâte précuit et froid (voir page 214). Garnissez le fromage d'une bonne quantité de fruits – nettoyés, si nécessaire.

LES FONDS, LES SAUCES, LES TRUCS À SAVOIR, CECI, CELA ET LE RESTE

Le fond de volaille

Le fond de volaille est vraiment utile en cuisine. Il faut en avoir en permanence, soit au réfrigérateur, soit au congélateur. Je le prépare une fois par mois. En général, j'utilise des ailerons ou des cuisses, mais vous pouvez aussi acheter des carcasses entières chez votre boucher. Il m'est même arrivé de préparer un fond de volaille avec la carcasse et les os d'un poulet rôti. Je les plonge dans l'eau froide et j'exécute la recette exactement comme celle qui va suivre ; le bouillon n'est peut-être pas aussi limpide mais son goût est parfait.

Pour 4 litres de fond
2 kg de carcasse de poulet concassée
½ tête d'ail non pelée en morceaux
5 branches de céleri, grossièrement hachées
2 poireaux moyens, grossièrement hachés
2 oignons moyens, grossièrement hachés
2 belles carottes, grossièrement hachées
3 feuilles de laurier
3 branches de romarin
3 branches de persil
3 branches de thym
5 grains de poivre noir entiers
6 litres d'eau froide

Dans une casserole à fond épais assez profonde, assemblez les carcasses de poulet, l'ail, les légumes, les herbes et le poivre. Versez l'eau froide, portez à ébullition, puis baissez l'intensité et laissez mijoter lentement. Faites cuire le fond pendant 3 ou 4 heures en écumant régulièrement. Filtrez à travers une fine passoire, puis laissez refroidir. Lorsque le fond de volaille est froid, il doit être limpide et légèrement ambré. À cet instant, je le divise dans plusieurs récipients que je congèle immédiatement. Le fond se conserve 4 jours au réfrigérateur et 3 mois au congélateur.

Le fumet de poisson

Le fumet de poisson est un autre fond de base qu'il est vraiment utile d'avoir à sa disposition. Lorsque vous faites vos achats chez le poissonnier, demandez-lui de ne pas jeter les arêtes de poissons nobles qu'il récupère et de les garder pour vous. Conservez-les et emportez-les chez vous pour cuire un fumet. Pour cuisiner cette recette, les meilleurs poissons sont le turbot, la sole et la lotte car leurs arêtes sont très parfumées et gélatineuses. Le cabillaud, le mulet, le saint-pierre ou la plie conviennent aussi, mais leurs arômes sont plus légers. Je n'utilise jamais les poissons gras.

Pour 3 litres de fumet de poisson
2 kg d'arêtes de poisson
2 branches de céleri, grossièrement hachées
½ bulbe de fenouil, grossièrement haché
½ tête d'ail en gousse et finement émincée
2 piments chili secs
2 cuillerées à soupe d'huile d'olive
25 cl de vin blanc sec
3 litres d'eau
Le jus d'1 citron
6 branches de persil frais
3 feuilles de laurier
1 branche de thym

Lavez les arêtes à grande eau. Si vous utilisez des têtes de poisson, éliminez les ouïes. Concassez grossièrement le poisson et, dans une grande casserole à fond épais, commencez par faire étuver les légumes, l'ail et les piments secs dans l'huile d'olive sans laisser colorer. Ajoutez les arêtes et les têtes et poursuivez cette cuisson pendant 4 minutes environ. Incorporez le vin blanc sec, laissez bouillir 3 minutes puis versez toute l'eau froide. Portez à ébullition, puis baissez l'intensité du feu et faites mijoter lentement pendant 25 minutes environ, en écumant de temps en temps (il est important de pas faire cuire le fumet de poisson trop longtemps, car il prend rapidement un goût amer et perd toute limpidité). Filtrez-le à travers un tamis assez fin et laissez refroidir. Une fois filtré, le fumet peut être bouilli un moment pour en concentrer les arômes. Gardez-le 4 jours au réfrigérateur ou 3 mois au congélateur. Un bon fumet est bien parfumé, limpide et très gélatineux lorsqu'il est froid.

Le fond de légumes

Pour 3 litres environ

1 cuillerée à soupe d'huile d'olive

2 oignons moyens

4 cuillerées à soupe d'huile d'olive

2 belles carottes, grossièrement hachées

2 gros poireaux, grossièrement hachés

½ tête de céleri, grossièrement hachée

½ bulbe de céleri, grossièrement haché

½ tête d'ail en gousses et grossièrement concassée

4 litres d'eau

2 branches de thym

1 branche de romarin

3 feuilles de laurier

1 piment chili sec

4 grains de poivre

2 cuillerées à café de sel fin

Variante : pour un fond plus original, ajoutez 30 g de champignons secs.

Faites chauffer l'huile dans une grande casserole à fond épais et laissez suer les légumes et l'ail pendant 5 minutes avec ou sans couvercle. Versez l'eau froide, portez à ébullition et écumez. Ajoutez les herbes, le piment, le poivre et le sel. Faites cuire ce fond très lentement pendant 2 heures en écumant régulièrement. Filtrez-le à travers une passoire fine. Gardez-le 4 jours au réfrigérateur ou 3 mois au congélateur.

Le consommé

Un fond, aussi bon soit-il, n'est qu'une base qu'il convient de cuisiner. En le parfumant par infusion et en éliminant toutes les minuscules impuretés qu'il contient naturellement, on obtient un consommé savoureux et totalement limpide. C'est de cette manière que l'on prépare le consommé français. La clarification d'un fond n'est pas une opération difficile ; il est cependant important de choisir des œufs très frais pour bien la réussir.

Pour 2 ou 3 litres de consommé
3 ou 4 litres de fond de base
3 blancs d'œufs
85 g de viande de bœuf maigre ou de poisson maigre
1 poireau moyen finement haché
1 branche de céleri finement hachée
1 tomate finement hachée
1 carotte pelée et finement hachée
1 bonne poignée d'herbes fraîches mélangées (persil, marjolaine, origan)

Versez le fond de base froid dans une grande casserole. Dans un saladier, assemblez les blancs d'œufs, la viande (ou le poisson haché), les légumes, et les herbes, et mélangez bien. Incorporez ensuite cette préparation dans le fond. Fouettez 10 secondes pour bien la répartir. Portez lentement à ébullition en mélangeant constamment pendant le premier quart d'heure.

Lorsque le fond commence à bouillir, les protéines du blanc d'œuf et de la viande coagulent et piègent toutes les particules en suspension. Il se forme ainsi un véritable filtre qui nage à la surface du consommé. La seule chose à faire consiste à éviter de briser ce filtre par une ébullition trop forte. Il faut obtenir un frémissement régulier, continu, et conduire cette cuisson pendant 30 minutes environ. À ce moment, le consommé doit être parfaitement limpide. Stoppez la cuisson et laissez reposer pendant 10 minutes. Filtrez-le ensuite très délicatement, louche après louche, à travers une passoire. Pour être vraiment sûr de ne pas laisser passer de petites particules de légumes, d'œuf ou de viande, filtrez le consommé à travers un linge humide très propre ; mais ce n'est pas essentiel. Le consommé clarifié se conserve 4 jours au réfrigérateur et plus de 2 mois au congélateur.

Les beurres aromatisés

Les beurres aromatisés sont très pratiques pour donner une touche d'originalité à vos recettes, ou agrémenter des préparations simples à base de légumes, de viande ou de poisson. Vous pouvez utiliser un grand nombre de parfums. Les herbes fraîches conviennent fort bien (le basilic en particulier ou la coriandre, le romarin, la sauge et le thym). On peut aussi se servir de l'ail, des olives, des tomates séchées, des anchois, des piments chili, ou du citron ; tout est affaire de goût et de d'imagination.

Laissez ramollir un peu de beurre à température ambiante. Hachez les ingrédients de votre choix finement ou grossièrement. Les quantités dépendent de la force aromatique que vous souhaitez obtenir. Mélangez le beurre pommade et les éléments de la recette puis placez la préparation sur une feuille de papier sulfurisé ou d'aluminium et roulez-la en forme de boudin. Repliez les bords et donnez une forme aussi régulière que possible. Réfrigérez, puis conservez le beurre aromatisé au congélateur pendant 2 mois environ.

Le beurre clarifié

Lorsque je prépare du beurre clarifié, je me contente de placer le beurre frais dans une casserole et de mettre le tout au four réglé à sa température minimale. Après 45 minutes, tout a fondu et le petit-lait se retrouve au fond de la casserole. Écumez soigneusement et versez le beurre limpide dans un récipient, puis éliminez le petit-lait. Le beurre clarifié est très utile en cuisine car on peut le faire chauffer à de très fortes températures sans le voir brûler. De plus, il garde son bon goût de beurre frais. Conservez le beurre clarifié dans des récipients hermétiques au réfrigérateur pendant 1 ou 2 semaines ou congelez-le. Vous pourrez alors vous en servir plus de 3 mois après sa préparation.

Utilisez-le pour sauter ou frire les viandes, le poisson : il parfume et donne une très belle couleur dorée aux produits.

La mayonnaise

La mayonnaise peut être préparée avec un mixer, à la main, avec un fouet manuel ou électrique.

Pour 8 personnes
1 gros jaune d'œuf fermier extra-frais
1 cuillerée à soupe de moutarde de Dijon
Sel fin
1 cuillerée à soupe de vinaigre de vin
1 cuillerée à café de jus de citron
25 cl d'huile d'arachide
25 cl d'huile d'olive

Mélangez les huiles et assemblez le jaune, la moutarde, 3 petites pincées de sel, le vinaigre et le jus de citron. Mélangez quelques instants pour faire fondre le sel. En fouettant assez vite, versez l'huile peu à peu pour enclencher l'émulsion. Si vous ajoutez l'huile trop vite, les ingrédients de la mayonnaise risquent de se dissocier. Lorsque vous aurez incorporé le quart de la quantité d'huile prévue, vous pourrez alors la verser plus rapidement en un filet continu. Si à un moment ou à un autre la mayonnaise se sépare, incorporez 1 cuillerée à soupe d'eau bouillante : cela devrait suffire à faire reprendre l'émulsion.

Lorsque toute l'huile aura été incorporée, la sauce devrait être assez épaisse, crémeuse et bien jaune. Vérifiez l'assaisonnement.

Vous pouvez facilement parfumer votre mayonnaise en ajoutant, par exemple, des herbes hachées ou des fruits secs torréfiés et hachés. Vous pouvez ainsi préparer des mayonnaises au basilic, à l'aneth et aux amandes rôties.

L'aïoli

Lorsque je prépare l'aïoli, j'utilise deux huiles d'olive différentes : la première est assez coûteuse, corsée et parfumée ; la seconde est plus neutre mais douce et agréable. En panachant ainsi deux types d'huiles d'olive, vous pouvez obtenir un équilibre parfait et une saveur qui ne soit pas trop forte.

L'aïoli est délicieux avec un rôti de porc froid. L'aïoli au basilic se marie bien avec le saumon rose grillé, et l'aïoli au citron peut accompagner les croûtons de la soupe de poisson.

Pour 8 personnes
½ petite gousse d'ail pelée
1 cuillerée à soupe de sel
1 gros jaune d'œuf fermier extra-frais
1 cuillerée à café de moutarde de Dijon
28 cl environ d'huile d'olive extra-vierge
28 cl environ d'huile d'olive
Quelques gouttes de jus de citron

Dans un mortier, écrasez la gousse d'ail avec le sel (si vous ne possédez pas cet ustensile, hachez l'ail très finement). Assemblez le jaune d'œuf et la moutarde dans un saladier et mélangez. En fouettant assez vite, versez les huiles mélangées peu à peu pour enclencher l'émulsion. Si vous ajoutez l'huile trop vite, les ingrédients de la mayonnaise risquent de se dissocier. Lorsque vous aurez incorporé le quart de la quantité d'huile prévue, vous pourrez alors la verser plus rapidement en un filet continu. Lorsque toute l'huile est incorporée, ajoutez l'ail et quelques gouttes de jus de citron avec d'autres ingrédients de votre choix comme du basilic, des tiges de fenouil, de l'aneth ou des fruits secs torréfiés et hachés. Avant de servir, vérifiez l'assaisonnement en sel, poivre noir et jus de citron.

La sauce au pain

La sauce au pain accompagne à merveille toutes les viandes rôties.

Pour 6 personnes
1 oignon moyen, pelé
6 clous de girofle
1 feuille de laurier
1 pincée de noix de muscade moulu
½ cuillerée à café de poivre noir moulu
1 cuillerée à soupe de sel
28 cl de lait
115 g de chapelure
30 g de beurre
2 cuillerées à café de crème fraîche
3 ou 4 cuillerées de moutarde anglaise (facultatif)

Dans une casserole, assemblez le lait, l'oignon piqué de clous de girofle, la feuille de laurier, la muscade, le poivre et le sel. Portez à ébullition, puis baissez l'intensité du feu et laissez infuser pendant 15 minutes. Filtrez le lait à travers une passoire fine et jetez toute la garniture aromatique. Portez à nouveau à petite ébullition, écumez et ajoutez la chapelure peu à peu. Pour obtenir une bonne consistance, il est important d'utiliser deux chapelures, l'une fine, l'autre plus grossière. Incorporez le beurre et la crème ; assaisonnez à votre goût. Si vous trouvez que la sauce est trop liquide, ajoutez plus de chapelure (ou plus de lait si, au contraire, elle vous paraît trop épaisse).

Depuis peu de temps, j'ai pris l'habitude de donner un bon coup de fouet à ma sauce au pain en y incorporant (en fin de cuisson) 3 ou 4 bonnes cuillerées de moutarde anglaise.

La sauce à la pomme

Pour 6 à 8 personnes

4 grosses pommes à cuire
55 g de sucre en poudre
Le jus d'1 citron
4 clous de girofle
55 g de beurre

Pelez, épépinez et coupez en quartiers les pommes fruits. Placez-les dans une casserole avec le sucre, le jus de citron et les clous de girofle (si vous souhaitez, vous pouvez ajouter une cuillère à soupe d'eau). Laissez cuire lentement et à couvert pour que les fruits se ramollissent complètement. Enlevez les clous de girofle et ajoutez le beurre. Pilez les pommes pour les réduire en une fine purée ou concassez-les simplement pour une sauce avec plus de morceaux. Je préfère la sauce aux pommes avec quelques morceaux de fruits restés entiers, mais faites selon votre goût.

La sauce à la menthe

Voici la recette traditionnelle de la sauce à la menthe pour accompagner le gigot d'agneau rôti.

Pour 6 à 8 personnes

4 cuillerées à soupe pleines de menthe fraîche hachée
1 cuillerée à café de sucre en poudre
1 cuillerée à soupe d'eau chaude
2 pincées de sel fin
3 cuillerées à soupe de vinaigre de vin

Placez la menthe dans un petit bol avec le sucre et l'eau. Mélangez quelques instants pour faire fondre le sucre. Ajoutez le sel et le vinaigre de vin. Laissez reposer au moins 30 minutes et servez.

Le pesto

Apprécié du plus grand nombre, le pesto est très pratique pour agrémenter de nombreuses recettes comme les pâtes fraîches, les viandes grillées ou rôties et les légumes. On peut le servir avec presque tout. On trouve maintenant du basilic violet (le plus souvent dans les épiceries asiatiques) et que l'on utilise pour préparer le pesto violet. Il s'utilise aussi largement que le pesto classique tout en amenant une certaine originalité. On peut préparer cette sauce dans un mixer électrique, mais il est meilleur fait à la main, avec un mortier et un pilon sans que je ne sache vraiment pourquoi. Je suppose qu'en écrasant progressivement les feuilles, on extrait plus de jus et de parfums.

Pour 4 personnes
1/2 de gousse d'ail
2 bottes de basilic frais sans tiges
120 g de pignons de pin légèrement torréfiés
80 g de parmesan râpé
Un peu d'huile d'olive extra-vierge
Sel et poivre noir fraîchement moulu
Un peu de jus de citron

Placez les feuilles de basilic dans un mortier ou dans un mixer. Si vous aimez l'ail, vous pourrez toujours en mettre un peu plus; moi, je me contente d'1/4 de gousse, compte tenu de sa force lorsqu'il est cru. Pilez ou mixez puis ajoutez les pignons de pin légèrement torréfiés. Videz la préparation dans un saladier, incorporez la moitié du parmesan et mélangez en versant lentement l'huile d'olive pour détendre la sauce et lui donner une consistance assez humide, mais ferme cependant. Goûtez le pesto, salez, poivrez et ajoutez le reste du parmesan. Incorporez encore un peu d'huile et goûtez de nouveau. Continuez à ajouter les ingrédients de votre choix pour obtenir la saveur que vous recherchez.

Il n'y a pas de véritables règles pour préparer le pesto, mais en utilisant des matières premières bien fraîches et le dégustant rapidement, il est toujours délicieux. Si vous le découvrez pour la première fois, vous aurez peut-être envie d'y presser quelques gouttes de jus de citron. En général, le citron est rarement indiqué dans les recettes de pesto. Essayez-le cependant, car il souligne agréablement la subtile saveur du basilic.

La sauce verte

Une bonne sauce verte s'élabore à la main en hachant finement les ingrédients. Elle ne se conserve pas très bien et commence à se détériorer quelques heures après sa préparation. Elle est délicieuse avec la viande bouillie, grillée ou rôtie, le poisson et les légumes.

Pour 8 personnes
2 gousses d'ail pelées
3 cuillerées à soupe de câpres
6 cornichons aigres-doux
6 filets d'anchois
1 botte de persil plat, sans tiges
1 botte de menthe, sans tiges
1 botte de basilic, sans tiges
1 cuillerée à soupe de moutarde de Dijon
3 cuillerées à soupe de vinaigre de vin rouge
12 cl d'huile d'olive
Sel et poivre noir fraîchement moulu

Hachez très finement tous les ingrédients de la recette, rassemblez-les dans un saladier et mélangez-les avec la moutarde et le vinaigre de vin. Incorporez peu à peu l'huile d'olive en remuant sans arrêt. Arrêtez lorsque vous aurez obtenu la consistance désirée. Rectifiez l'assaisonnement avec le sel, le poivre et, si vous le désirez, du sel de mer et du vinaigre de vin.

La sauce au fenouil et aux piments chili

Voici une sauce délicieuse pour accompagner les poissons et les crustacés. Essayez-la avec du cabillaud, du saumon cuit au four ou grillé (gardez le poisson en un seul tenant et servez-le entier sur un plat, nappé de la sauce au fenouil). Prenez le temps de le laisser refroidir à température ambiante pour qu'il s'imprègne des parfums de la sauce. Servez le plat au milieu de la table, sans façon, et laissez les convives se servir eux-mêmes. Proposez des pommes de terre bouillies et une bonne salade verte en accompagnement.

Pour 6 personnes
4 piments chili moyens
1 bulbe de fenouil
Le jus d'1 ou 2 citrons
Quelques tiges de fenouil, si vous en avez
8 cuillerées à soupe d'huile d'olive
Sel et poivre noir fraîchement moulu

Éliminez les pépins des piments et hachez-les finement. Conservez les tiges vertes et tendres des bulbes de fenouil. Éliminez ensuite le trognon et les feuilles extérieures trop dures ou sèches. Partagez le fenouil en deux et taillez-le finement en petits dés de 2 mm de côté. Vous pouvez aussi le couper plus épais. Hachez les tiges de fenouil. Assemblez tous ces ingrédients dans un saladier, pressez le jus d'1 citron (ou plus si vous préférez), et mélangez avec l'huile d'olive, le sel et le poivre noir.

La sauce douce aux poivrons rouges et aux piments

Cette sauce est parfaite pour déguster la foccacia. Servez-la aussi avec un buffet froid.

Pour 6 personnes

2 poivrons rouges

½ oignon rouge, finement haché

4 piments rouges sans pépins, finement hachés

½ gousse d'ail finement hachée

8 cuillerées à soupe d'huile d'olive

1 cuillerée à soupe de vinaigre de vin

1 botte de persil plat sans tiges hachée

Sel et poivre noir fraîchement moulu

Faites griller les poivrons entiers, en les retournant de temps en temps pour noircir complètement leur peau. Placez-les ensuite dans un saladier et recouvrez d'un film alimentaire. Laissez-les reposer ainsi pendant 30 bonnes minutes (la vapeur dégagée par les légumes décolle la peau qui est ensuite très facile à ôter). Pelez, enlevez les pépins et hachez finement les poivrons. Ajoutez tous les autres ingrédients et mélangez. Goûtez, vérifiez l'assaisonnement et laissez la sauce reposer pendant 1 heure pour laisser aux arômes le temps de se développer.

La sauce à la noix de coco, tomate, concombre et citron vert

Voici une sauce délicieuse pour relever vos salades et qui a l'avantage d'être très facile à faire. Elle est aussi parfaite pour relever la recette du poulet au curry vert (voir page 122).

Pour 4 personnes
16 tomates cerises
½ noix de coco fraîche
1 petite botte de basilic ou de coriandre, hachée grossièrement
½ concombre, sans pépins, pelé et finement haché
1 cuillerée à soupe d'huile d'olive
Sel et poivre noir fraîchement moulu
Les jus d'1 ou 2 citrons verts
1 piment rouge finement haché (à votre goût)

Dans un saladier, assemblez les tomates, le concombre, la pulpe de la noix de coco, le basilic, le piment (si vous en utilisez) et mélangez. Juste avant le service, incorporez l'huile d'olive, le sel, le poivre et le jus de citron vert.

La sauce tomate

Vous pouvez conserver cette sauce plusieurs mois au congélateur ou une bonne semaine dans le réfrigérateur. Elle sert de base à de nombreuses recettes.

Pour 6 à 8 personnes
1 belle gousse d'ail finement hachée
2 cuillerées à soupe d'huile d'olive
1 piment chili sec concassé
2 cuillerées à café d'origan sec
1,2 kg de tomates pelées
1 cuillerée à soupe de vinaigre de vin rouge
1 botte de basilic ou de marjolaine (ou les deux), hachée grossièrement
Sel et poivre noir fraîchement moulu
3 cuillerées à soupe d'huile d'olive extra-vierge

Dans une casserole à fond épais, faites suer l'ail dans l'huile d'olive, puis ajoutez le piment, l'origan et les tomates. Mélangez sans casser les tomates qui pourraient laisser échapper leurs pépins et donner un goût amer à la sauce. Vous pouvez bien sûr les épépiner avant la cuisson, mais je ne prends pas cette précaution. Portez à ébullition et laissez mijoter pendant 1 heure. Incorporez le vinaigre et cassez les tomates en mélangeant la préparation. Ajoutez les herbes fraîches, assaisonnez selon votre goût et finissez cette recette avec 2 ou 3 cuillerées à soupe d'huile d'olive extra-vierge.

Les piments au vinaigre

Les piments au vinaigre sont superbes et très utiles car ils peuvent rester simplement au réfrigérateur en attendant d'être utilisés. Je les cuisine dans les bouillons ou les plats sautés ; mais ils sont aussi délicieux nature avec du pain et du fromage. Gouttez-les !

600 g de piments verts moyens
15 grains de poivre noir
5 feuilles de laurier
2 cuillerées à soupe de graines de coriandre
5 cuillerées à café de sel
6 cuillerées à soupe pleines de sucre en poudre
1 l de vinaigre blanc ou de vinaigre de riz

Pour cette recette, il faut choisir des piments très frais sans aucune flétrissure (vous pouvez aussi employer les piments rouges, mais ils sont bien plus forts). Ouvrez les piments de bas en haut avec la pointe d'un couteau et ôtez les pépins avec le manche d'une petite cuillère. Renversez de l'eau bouillante sur les piments préparés, laissez-les tremper pendant 5 minutes puis égouttez-les. Les derniers pépins auront été entraînés dans l'eau. Placez ensuite le poivre, le laurier, le sel, la coriandre et les piments dans un pot en verre muni d'un système de fermeture étanche. Dans une casserole, assemblez le sucre, le vinaigre et faites chauffer sans bouillir en mélangeant. Lorsque le sucre a fondu, versez ce liquide sur les piments. Laissez refroidir un moment, puis fermez hermétiquement.

Placez au réfrigérateur pendant 2 semaines au moins avant la première utilisation. Vous pouvez conserver ces piments 4 mois au réfrigérateur.

INDEX PAR INGRÉDIENTS

TABLE DES RECETTES

REMERCIEMENTS

À mes parents, pour m'avoir donné une enfance heureuse et la liberté de mes choix. À Jules, ma fiancée, qui partage ma vie et sait me remettre à ma place lorsque j'en ai besoin !

À Rose Gray et Ruthie Rogers, pour leur patience, leurs encouragements et leur soutien. À Gennaro Contaldo, pour m'avoir pris sous son aile et m'avoir transmis l'esprit et son amour de la grande cuisine italienne. À Paul et Anna pour leurs encouragements et leurs idées. À Wilko pour m'avoir vendu un scooter indomptable. À Bender, l'Australien, pour son humour, son amitié et son aide. Quel bon cuisinier ! Aux Girth Boys Inc : Arthur, Ben numéro deux, Ashley, Theo, Peter, Gary et Damo. À Mark Phillips Ansell pour son enseignement et ses gags pendant les premières années (et aux autres) du Cricketers à Clavering. À Tim de Tesco, pour son aide lorsque nous cherchions du poisson dans les supermarchés.

À Jean Cazals et David Eustace pour leurs superbes photos et leur manière bien à eux de transformer les journées difficiles et mouvementées en parties de rigolade. Aux éditions Michael Joseph/Penguin pour s'être autant investies que moi dans la préparation de ce livre : je pense à Tom Weldon, Johnny Boy Hamilton, Nick « Zeus » Wilson, la belle Lindsey Jordan, Nici Stanley et James Holland. Merci encore.

À Optomen Television et à ceux concernés par la préparation des émissions : Pat Llewellyn, Peter Gillbe, Corinne Field, Polly, la petite Lucy et tout le reste de l'équipe. Merci d'avoir fait de ma vie un enfer pendant trois mois ! Je vous aime tous ! Et à Ginny Alcock et Kate Habershom, les stylistes culinaires, pour leur aide et tout le travail fourni.

Je tiens aussi à remercier quelques-uns des meilleurs fournisseurs de Londres, qui, en plus de la qualité de leurs produits et de leur service, ont toujours su apporter le petit plus qui fait toute la différence.

Patricia de la Fromagerie, 30 Highbury Park, Londres N5 2AA (c'est la meilleure fromagerie de Grande-Bretagne).

La boucherie Brian Randalls, 113 Wandsworth Bridge Road, Londres SW 6 2TE.

Barry le serveur, Portobello Road Market.

Rushton au « Georges Allans Vegetables », Unit 12-14, bloc C, New Covent Garden Market.

Dépôt légal : novembre 2003
23- 6808- 2/03
ISBN : 2-012-36808-5
Imprimé en Italie par DeAgostini